孩子講不聽、叫不動
大人該懂的破冰對話

王宏哲 著

全圖解

教養的真相

作者序

挫折的教養世代，
需要被肯定的正能量

　　每一本書的序言，對我來說都是真心話大冒險，因為我會把妳當朋友一樣對話。我知道妳從有詩有遠方的女性，變成了身陷困境的媽媽，所以我要寫這本《全圖解教養的真相》，孩子沒有那麼壞，妳也是個認真的媽媽！那……沮喪的困境到底出在哪？

1 給一直回到原點的「崩潰媽」

沒有人是天生的爸媽，挫折是育兒必經的過程，連失敗都是在前進，沒有到不了的終點。

2 給擔心孩子會不會來不及教的「煩惱媽」

只要他是個孩子，就永遠來得及，只是不同階段要用不同方法教導。

3 給看不到孩子改變的「失望媽」

孩子不是無法改變，讓他先感受到媽媽的愛，知道你是為他好之後，再一點一滴成長。我們習慣看得太短，失望得太早。

4 給不能理解孩子行為的「疑問媽」

我們教的是孩子，並不是一台機器，育兒路上沒有所謂的 SOP。孩子所有脫序行為都是正常的，這是因為他們就是從這些脫序中學習秩序。

5 給需要跨世代溝通的「夾心媽」

那些令人難受的話，就不要聽進心裡。上個世代的好媽媽，也不一定能理解這個世代好媽媽的努力。

4

親子關係的崩壞，可能源自於「對話」的崩解。為什麼我會這樣說？這是因為若父母不懂如何跟自己內心對話、不知如何跟孩子對話，於是大人跟孩子間雖然緊密，卻也帶來更多的緊張。送妳一句話，就像看我直播一般，先幫你收拾挫折的心情，轉換內在負能量，我們，再一起繼續走下去！

媽媽，相信我，「妳真的已經做得很好了！」妳要先肯定自己，別人才會肯定妳。我真心誠意的盼望《全圖解教養的真相》，這本書裡的每段文字、每張圖表，都能成為溫暖妳的支持力量！

6 給覺得自己什麼都做不好的「挫折媽」

別對自己這麼不好，妳已經做得很好了；教小孩時，不用因為一件事做不好就全盤否定自己。

7 給不想打罵但又不得已的「懊悔媽」

非得拿出棍子那一刻，代表妳是真的已無計可施。對孩子打罵並不表示妳是個壞媽媽。妳需要的只是學習更多教養方法，而不是承載這麼多心理壓力。

8 給每天都瀕臨極限的「忍耐媽」

善用另一半的體力、天馬行空、人來瘋等特質，把小孩丟給爸爸。排出專屬於妳的時間，找個懂妳的人說話，說出來就會海闊天空。

9 給每天都忙到不行的「斜槓媽」

人沒有十全十美，累了就要休息，尤其是每天都在做沒有成就感的事。找個時間好好和另一半或家人溝通，明白告訴大家妳需要怎樣的協助，家是大家共同擁有的而非妳一個人的。

10 給期待有自己時間的「渴望媽」

起身吧！適時營造孩子和爸爸專屬時間，他們的親子關係愈緊密，妳才能得到更多支持，留些空白空間和時間給自己，妳要先愛自己，才能去愛妳的家。

目 錄

PART 1

講不聽的真相

PART 2

慢吞吞的真相

PART 3

不專心的真相

PART 4

壞習慣改不掉的真相

PART 5

無關緊要的真相

PART 6

冰山下的對話：自我、固執、不聽話的真相

PART 7

大腦與行為的真相

後記

媽媽，沒關係！不管有多難，
孩子會等你，也希望你等他長大

附錄

PART 1

講不聽的真相

1-1 老是講不聽的孩子 沒有內在動機

有一次，跟一個媽媽在聊，她說：「帶小孩真的是耐心再多，都有被磨光的時候！」我很驚訝地說：「你看起來這麼優雅，完全無法聯想你失去耐心的時候！」媽媽說：「我自己也想不到我有大吼大叫的一天，小孩小的時候，整綑衛生紙丟到馬桶；叫他不要去玩危險的東西他偏要；現在在寫功課時，教他生字的筆順要怎麼寫，才會不漏一撇少一劃，他就是不聽，最後又錯一樣的事。不管哪一個階段，都是講不聽！你說，優雅是什麼？能吃嗎？」我聽完真是心有戚戚焉，因為大人一開始都是好好跟小孩說，結果孩子都不聽，才會逼不得已要很生氣的去教小孩。

> ## 如果可以選擇，誰會
> ## 想要當「吼叫媽」？

　　動機很重要，它是一種內在的衝動，會令我們主動尋求資源、追求成功，並驅使我們去執行，**簡單說，沒有動機就不會行動。**

孩子常講不聽的事 TOP5

1	叫你去睡覺，理由一大堆
2	叫你不要碰，你偏要碰
3	叫你寫功課，你拖拖拉拉
4	叫你洗澡，你說等一下
5	叫你去洗手，你直接動手

遊樂園裡，滿足需求，而激發孩子的動機

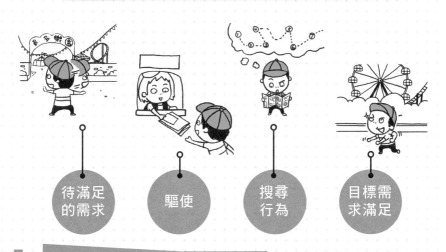

待滿足的需求	驅使	搜尋行為	目標需求滿足

緊張焦慮

想玩遊樂場每個設施	索取遊樂園地圖	規劃遊樂路線	玩遍每一個遊樂設施

動機產生的歷程，可能來自興趣、成就感、求生存，也可能來自「需求」。例如，小孩想要玩到遊樂園中的每一項設施（待滿足的需求），卻擔心沒辦法全都玩遍（因需求產生焦慮），因此拿出遊樂園的地圖（驅使），孩子接下來會認真研究，而且會規劃路徑（搜尋行為），直到如願玩到所有想玩的遊樂設施（滿足需求），才就開心起來（焦慮降低）。

　　有沒有發現，這跟被叫去寫作業的「過程」很不一樣？所以，「玩」有動機，做該做的事沒有動機。

　　有「需求」才有「動機」，孩子若有內在需求，可能會先有緊張的情緒，緊接著會產生一些行為，讓自己去獲得滿足以降低緊張。針對「需求」起源的不同，通常可將「動機」分成兩種：內在動機（intrinsic motivation）和外在動機（extrinsic motivation）。

　　動機很重要，是一種內在衝動，會令我們主動尋求資源、追求成功，並驅使我們去執行，**簡單說沒有動機就不會行動**。

　　不過，孩子學習的歷程，無論是「內在」或「外在」動機，似乎都無法完全切割開來，也就是說，沒有單純的內在動機，也不會有單純的外在動機。

　　每天辛苦熬夜完成的企畫案，為了客觀條件的薪水（外在動機）？潛意識裡是不是也想證明自己的能力（內在動機）？同理，做父母的千萬別貪心地期待孩子從小就能發自內心主動收拾玩具。如果你家的孩子經過提醒後就會主動去收玩具，請讚美他，別認為理所當然，這代表你的孩子是教得動的。

建立孩子的需要，他才有動機

分類	內容	舉例	說明
內在動機	家長最渴望孩子擁有的，希望孩子能發自內心的想要或喜歡去做某件事	主動地去收拾玩具、整理書包、把功課完成而不需要任何的獎賞等	內在動機高的孩子特質是主動、喜歡接受挑戰、勇於面對失敗，以及有正向的情緒學習經驗
外在動機	很讓家長頭痛，必須使用策略，包括獎賞、利誘、威脅、恐嚇、甚至懲罰，孩子才願意去做	要威脅利誘一番，孩子才願意收拾、做家事、寫作業，好像做任何事都得談條件	即俗稱的棍子（懲罰）與胡蘿蔔（獎品），這類的獎懲，很容易因過度使用而失去吸引力，作用無法持久。

父母不懂孩子的需求

1	尋求速度刺激的需求
2	迫不及待被滿足的需求
3	現階段要完成的需求
4	大腦警醒度要調整的需求
5	焦慮等一下沒得玩的需求

給孩子「被肯定」的鼓勵，才能激發他的動機

曾經有個小一孩子對我說：「我寫了五、六遍，媽媽一直擦掉，我再也不想寫了！」

大部分時間我們都知道孩子需要得到肯定，但由於父母「太盡責」，做法往往背道而馳。試著想想，如果你一直在做白工，會有成就感嗎？會想繼續做下去嗎？這或許就是孩子的心聲，而父母常常看不到孩子心裡在想什麼，看到的都是自己要什麼。

美國著名的心理學家亞伯拉罕・馬斯洛（Abraham Maslow）曾提出「需求層次理論」，由較低層次到較高層次依次為：生理需求、安全需求、歸屬與愛的需求、尊重需求和自我實現需求。

依照馬斯洛的理論，當人們滿足了生理需求、安全需求、歸屬與愛的需求後，才會開始追逐「尊重」的需求和「自我實現」的需求，也才有動機去做這些事。

對孩子而言，「收玩具、做家事、寫作業」屬於哪種層級的需求呢？「想要讓家裡保持整齊」會是孩子的需求？才不呢！孩子要感受到「物歸原位」是可以「被肯定」，這個鼓勵才是他的需求。

因此，要孩子產生內在動機，先要給予他一些外在誘因，讓孩子感受得到「原來我是做得到的」「原來我可以」「原來這麼做會讓大家開心」，接著，他才會主動去做這些事。

馬斯洛需求層次理論

自我實現需求 ○------● 指實現個人理想、抱負,發揮個人的能力到最大程度,完成與自己能力相稱的事情。

尊重需求 ○------● 包括對成就或自我價值的個人感覺,也包括他人對自己的認可與尊重。

歸屬與愛的需求 ○------● 例如友愛和親情。

安全需求 ○------● 例如健康、自身安全,或安全感等。

生理需求 ○------● 例如食物、水、如廁或睡眠等。

多鼓勵,增加孩子「我做得到」的自信

外在動機	我做得到	外在正向回饋	內在動機

玩具分門別類收拾整齊

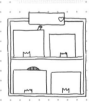

主動幫忙的家事小幫手

自己收玩具

變成家事小達人

教養的 **真相** → 一個有自信的孩子,背後有懂得鼓勵的父母。

1-2 沒有獎勵就不做的孩子
讚美的反效果

很多父母都知道要獎勵孩子，但大家又會擔心，每件事都用獎勵的，日後會不會養成孩子要得到獎勵才去做，沒獎勵就不去做呢？

獎勵方式，會影響孩子的自主性

1970 年代的心理學研究認為，不該使用「外在獎賞（或動機）」，因為它可能會減少「內在動機」。1985 年美國心理學家德西（Deci）和瑞安（Ryan）所提出的「認知評價理論」（Cognitive evaluationtheory）認為，利用外在強化來控制行為，最終會弱化個人的自我決定能力，導致內在動機的降低。而且，令原本有興趣的活動變成必須依靠獎賞（completion–contingent rewards），才能表現出好行為。說明了獎賞或正增強，是會傷害內在動機發展。

把德西等人所做的整合分析，進一步研究並驗證此論點：「只要完成，就有獎賞」，或是「做得出色，就有獎賞」，**這兩種方式都會削弱內在動機，因為獎賞減少了自主性。**

在當時，心理學家的確說明了獎賞或正增強，是會傷害內

要孩子表現好，不一定要靠給獎品

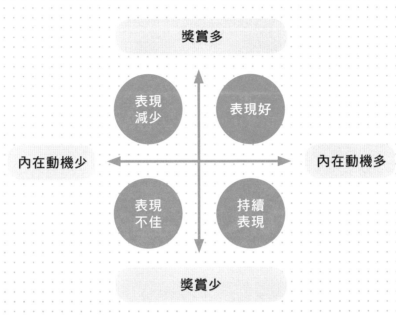

獎賞多

表現減少

表現好

內在動機少 ←→ 內在動機多

表現不佳

持續表現

獎賞少

認知評價理論認為「表現好就給獎賞」，會削弱內在動機，
內在動機被削弱，行為表現就會受到影響

獎賞給不對，削弱孩子的內在動機

行為表現 ▸ 給獎賞 ▸ 削弱內在動機

在動機發展，舉例來說，當孩子喜歡彈琴，父母為了讚許他每天自動自發練琴，答應練完琴就給點數（獎賞），且集滿點數還可以換獎品。德西學派認為這樣的方式會削弱彈琴的內在動機！這是因為心理學中的「過度辯證效應」（Overjustification theory）在作祟。

「過度辯證」是由雷波（M.R. Lepper）和格林尼（D. Greene）在 1973 年所提出的一種認知理論，他們認為，兒童在參與某種行為之後，會合理化該行為，雷波曾觀察兒童自發行為發生時，再加入外在獎賞後的影響。他首先觀察學齡前兒

獎賞與興趣培養的研究

組別	獎賞類別	研究內容	說明格式
第一組	預期的獎賞	研究者向孩子說明，只要畫畫，就可以得到一份獎品	
第二組	非預期的獎賞控制	研究者只要求孩子畫畫，並沒有提及任何獎品。但孩子若畫畫後，可以得到一份和第一組相同的獎品	第一組花的時間少於其他二組，而且對畫畫的興趣，也低於最初觀察時期的興趣
第三組	沒有獎賞的控制	孩子畫畫後，並沒有任何獎勵	

童在自由活動時間於教室內的情形，並記錄他們花在繪畫上的時間長度；接著，研究者將受試兒童隨機分派到下面 3 種情境之一（見左下）。

　　兩個星期後，研究者再觀察孩子在自由活動時，花在繪畫上的時間。詢問第一組兒童實驗前後的差異，為什麼以前常畫畫，而現在較少畫畫？這組兒童回答：「以前常畫是因為想得到獎品。」這個回答將現在較不常畫畫的行為合理化了。由此可見，獎賞有時反而會剝奪原本在遊戲中所享有的樂趣。

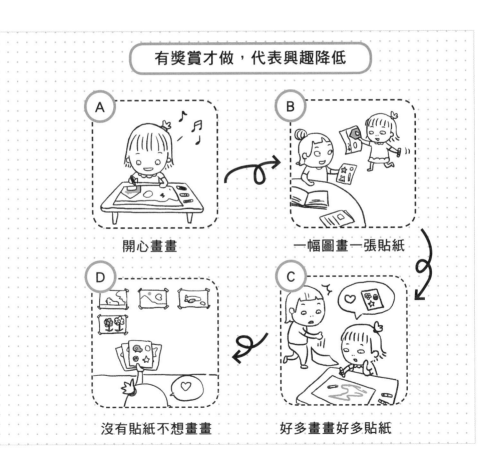

有獎賞才做，代表興趣降低

A 開心畫畫

B 一幅圖畫一張貼紙

C 好多畫畫好多貼紙

D 沒有貼紙不想畫畫

口頭讚美比獎品好， 能提高孩子動機

但獎勵制有害，完全正確嗎？這論點，於二十一世紀初開始受到質疑。1994 年卡梅倫（Cameron）和皮爾斯（Pierce）發表於《教育研究評論》（*Review of Educational Research*）的整合分析研究曾指出，並沒有一致性的證據認為獎賞會削弱內在動機，事實上，**「口頭的讚美」反而還會增加孩子的內在動機。**

艾森貝格爾（Eisenberger），羅茲（Rhoades），和卡梅倫於《個性與社會心理學期刊》（Journal of Personality and

獎賞 X 高動機，孩子行為會更好

獎賞 ➕ 動機

表現

說明 行為心理及經濟學派認為「表現好就給獎賞」，會提升表現行為，而表現提升的原因，可能來自動機的提升。

Social Psychology）認為，當獎賞內容跟孩子的完成品質有關（Quality-dependent reward），外在獎賞並不會對學習者的內在動機造成負面影響，甚至還可以增加學習者自我能力覺察，及提升內在動機。

於是，開始有學者質疑和反思過去的研究，認為「獎賞」未必是讓孩子畫畫時間變少的唯一影響因子，有可能是孩子本身對這個活動也感到厭倦了。而且，獎賞本身比較屬於控制性質，並不是針對孩子的能力、自主性來給予，很有可能是「控制」本身降低了內在動機，而不是獎賞。

行為心理及經濟學家的研究則是發現，「做得出色，就有獎賞」這樣的方式能有效提升「表現」。認為提高「動機」，會增加「表現」的學者，發現獎賞之所以能讓表現提升，背後的原因可能就是動機提升了。所以，要孩子對一個學習產生興趣，最重要的就是「別讓他在這活動中，感到很多控制」。

根據表現「分級獎賞」，減少控制，才能提升興趣

上述兩派學者對於獎賞和動機的關聯論點截然不同。為了釐清，2016 年美國科羅拉多大學教授 Rosa Hendijani，採用更嚴謹的實驗方式，發現「內在動機」和「做得出色，就有獎賞」兩者同時存在時，一樣能夠提升整體動機以及表現結果。這研究有個重要關鍵，對孩子而言：

1. 獎賞在心中的價值，與內在動機一樣重要。
2. 給予的標準設定，孩子是否達得到，會影響到接下來的表現。

獎勵或讚美，不要言過其實

內在動機
+
內在讚賞
▼
持之以恆

　　結論是，依據表現而給予獎賞，確實能提升孩子的動機，也許一開始孩子看重的是獎賞（外在動機）。但隨著完成表現、自我挑戰得到肯定，也會提升他的內在動機，關鍵在於，父母不能給予過於困難或過於簡單的目標設定，唯有依照孩子能力訂定獎賞內容，才能有效提升孩子的動機及表現。

　　我前一陣子看了《老師，你會不會回來》一劇，劇中王老師為了讓孩子更樂於學習，訂出了大量的獎賞制度，雖然一度被其他老師批評為賄賂，但學生在追求外在動機的過程中，獲得了成就感，也得到了學習的內在動機，這是適當獎賞能激發內在動機的最佳例子。

教養的 **真相** → 根據表現訂合理的獎賞，可以讓孩子學得更好

1-3　條件交換的孩子
被動不聽話

我曾經幫一對父母解決孩子非常愛看電視的問題。這對父母一關掉電視時，孩子就大發雷霆、大吼大叫。我問他們說：「孩子一天看多久電視？」媽媽說：「大概兩個小時。我們告訴他，吃完飯或做完功課，就可以看電視。」我搖搖頭：「這就是把看電視當作誘因，最後讓他無法自拔的陷阱！」

「如果你乖乖坐好，我就給你玩具。」「你把飯吃完，我就會讓你喝果汁。」「幫忙做家事，才有零用錢」……，這些讓孩子可以馬上動起來的「條件交換」，代表孩子都是為了誘因而表現，但，這是好的做法嗎？

> ## 條件交換，孩子模仿
> ## 到的是討價還價

　　研究發現，給孩子獎勵，不能含有任何「控制」成分，控制與自我挑戰、能力滿足無關，這叫做「賄賂法」。上述的例子，乖乖坐好有玩具、吃完飯喝果汁，都是控制，這樣的獎賞不僅無效，反而有反效果，會降低自發性坐在餐椅上的內在動機。

賄賂法是獎勵地雷

1 交換條件，讓孩子學會討價還價

2 隨機獎勵能提升小孩主動性

3 賄賂法，無法讓孩子好行為內化

　　心理學研究發現，如果經常用東西跟孩子交換，孩子就會被你暗示，而更喜歡那樣東西，最後導致不是因為餓才去吃飯，而是因為果汁才吃飯。這種行為的危險性在於，如果大量用這種交換條件去換取孩子要做的事情，他的內在動機就會喪失。而且，孩子會覺得獎品不夠豐富就不做，開始討價還價。

　　面對大一點的孩子，我們常常這樣做。「做家事，賺零用錢」是非常危險的錯誤觀念。如果已經養成只要做事就有錢拿的壞習慣，日後他參與每件家事前，都會先問你：「媽媽那我今天幫你拖地、幫你澆花、幫你倒垃圾，有沒有錢拿呢？」若孩子開始以金錢為衡量標準，甚至問你：「那有多少錢？」這就表示，孩子已經中了賄賂法的毒。

　　要改變這種錯誤的教養方式，就要減少條件交換的方式，讓孩子聽話。但是要如何獎勵，才能避免賄賂又能引發內在動機呢？那就是改良版的「集點制度」。

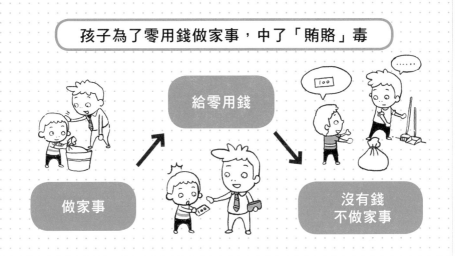

孩子為了零用錢做家事，中了「賄賂」毒

做家事 → 給零用錢 → 沒有錢不做家事

［ 訓練小孩耐心與等待，善用「改良式集點」 ］

　　所謂改良式的「集點制度」，有三個實施重點。首先，當孩子缺乏行為動機時，才能用集點制度；好比說練琴、閱讀、洗碗、整理書包等，有些孩子沒辦法從這些地方培養好習慣，也不知道自己為何要這樣做，因此造成親子之間溝通認同不一致，這時就建議可用改良式集點。

　　這種時候不需要有動機，純粹是幫孩子建立好習慣，但在操作的過程中，父母要幫孩子分析，而不是單純為了集點而集點，例如，在貼貼紙的同時你可以說：「嘿，我發現你今天很主動耶！我覺得你今天很認真呢！所以媽媽給你加一點。」用這種方式加強孩子正確行為，才不會讓他忘記自己曾經做過的優良行為。

集點制度的實施關鍵

1 缺乏行為動機，再用集點制度

2 改良式集點，能增強好行為的連結

3 四歲後具有同理心，較適合使用獎勵

4 不立即滿足的分段集點，可訓練耐心

5 集點獎勵制度能少用就少用

6 討論獎勵時，要學會衡量獎勵價值

改良式集點制的教養新觀念

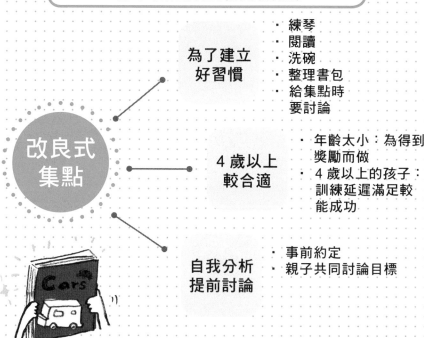

改良式集點

為了建立好習慣
- 練琴
- 閱讀
- 洗碗
- 整理書包
- 給集點時要討論

4 歲以上較合適
- 年齡太小：為得到獎勵而做
- 4 歲以上的孩子：訓練延遲滿足較能成功

自我分析提前討論
- 事前約定
- 親子共同討論目標

其次，集點制度有年齡限制。怎麼說呢？一般來說，大約4歲以上的孩子會比較適合使用集點獎勵制度，因為年齡太小的孩子，可能會真的為了想得到貼紙而做出一些優良行為；4歲以上的孩子開始滋長同理心，也比較成熟了，能知道別人的要求，比較聽得懂大人的分析，可藉此訓練延遲滿足、讓他們了解過程比結果重要。

　　最後，集點獎勵制度能少用時，盡量少用。如果一定要用，也必須事前共同討論。例如，集滿10點可以有一個小禮物、集滿30點就可以親子出遊，集滿60點，就可以去看一場舞台劇……。這個規則在事前就要先約定好，而且當孩子達到第一階段時，要引導他思考要不要換掉，還是要留著往下一個目標邁進。改良式集點制度的關鍵，是讓孩子分析自己的進步點，4歲的孩子仍不知道自己做對了什麼事才得到獎勵，而且容易因為獎品而忽略過程，父母從旁的引導與分析，是提升孩子心智成熟的重要做法。

　　也就是說，**集點獎勵制度的關鍵，是讓孩子分析自己的進步點**，4歲的孩子仍小，並不知道自己在過程中努力了什麼而得到獎勵，父母從旁的提醒與分析，是教會了他自己分析自己的能力，這也是最受用的禮物。

　　不同的年齡層，獎賞技巧也應該不一樣，大約10個月左右的孩子，就會開始會做出展示（showing-off）的討賞行為，藉此得到大人的注意力。所謂「展示」，家長們最常遇到的例子就是幼兒把水喝光光後，把杯子舉得高高地給大人看，期待大人的讚美與肯定。在這個行為的背後，我們可以發現，孩子並非要物質上的滿足，而是更喜歡與大人的互動。所以，期望

習慣「社會性讚美」的孩子，長大後物慾比較低

讚美過程，勝過讚美結果

1 讓孩子記得好行為的過程

2 真心誠意看著孩子給讚美

3 及時給讚美、充分討論

4 引導孩子不要只在意結果

2 歲以下的幼兒有好的行為，就要留意孩子的「展示」行為，給予大量的回饋，才是最重要的親子互動。

很多孩子跟大人分享自己的故事時，家長常常都在滑手機及忙自己的事，這樣人在心不在的相處，就是在破壞學習的動機。學齡前的兒童，除了讚美、擁抱，「集點表」的運用也能讓他表現更好。因為這個年紀的孩子，對於自己能完成的事情感到很驕傲，期待大人看到他努力換來的集點表，為了得到肯定貼紙，會比較有動機去完成。

例如，早上起床只要不哭，可得到一張貼紙，不論孩子是否賴床或生氣。很多父母擔心，一天下來會不會給太多貼紙？其實，只要把換獎品的目標拉遠即可，如 60 點再換獎品。

小學以後的孩子，心智成熟度更高，父母可以執行複雜的獎勵，例如「主動」有 1 點；「動作快」有 1 點；「專心」有

3 步驟，讓集點表更有效

動手做
孩子自己做集點表，會對集滿貼紙這件事更有動力

投其所好
讓孩子自己挑選喜愛的卡通人物圖案貼紙，記得要得到這個貼紙，孩子必須先「付出」

分級設目標
一次針對一個行為的進步，給予貼紙。一開始設定目標行為可以簡單，讓孩子了解這個活動不困難

1 點。審慎訂出好行為價目表，當孩子做出非常難得的好行為，跟學齡孩子溝通後，可以加倍給點數，讓孩子記憶深刻。

除了具體外，學齡的孩子更需要的是「權力下放」，例如自己決定去哪裡玩、自己安排課後時間，這對學齡後的孩子是重要的獎品，因為代表著大人對他的肯定。

還記得前面提過的馬斯洛「需求層次理論」嗎？當孩子感受到尊重後，他才會有動機去「自我實現」，對學齡孩子來說，有更多自己能獨立完成的成就感，比獲得物質更重要。

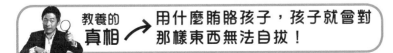
教養的真相 → 用什麼賄賂孩子，孩子就會對那樣東西無法自拔！

1-4　一直犯同樣錯的孩子　來自大人無效的處罰

你有對孩子說過「禁止他做喜歡活動」的處罰式言語嗎？例如，「玩具沒收拾好，就沒有玩下一輛遙控車的機會」，或「鞋子亂丟，就不要出門，你愈慢，到公園玩的時間及項目就愈少」。

儘管前面討論了很多獎賞的效益，但在臨床實務上，仍然有許多家長會說：「本來就該做的事我還要給孩子獎勵？實在做不到；叫不動，沒關係，家法拿出來就會動！」懲罰似乎也能達到這個效果，但這樣對嗎？

［ 大多數的懲罰，並不會減少孩子犯錯 ］

STOP！無效的 NG 懲罰

1	威脅	再不睡覺就家法伺候
2	以暴制暴	你打人，我就打你，讓你知道痛
3	剝奪權利	再不關電視，就不要喝果汁

通常父母會用到懲罰這一招，多半是希望孩子不要再犯同樣的錯。事實上，德國符茲堡大學心理學系教授安德拉斯‧艾德（Andreas Eder）研究發現，懲罰不但無法遏止，還可能增加犯錯的動機！

　　這項研究是讓受試者判斷螢幕上出現的數字，如果數字為1～4就按下左鍵，數字為6～9就按下右鍵。在進行實驗之前，先讓受試者知道，按特定按鍵會感受到輕微刺痛的電流，因此研究者預期，當受試者要按下會感到輕微電流的按鍵時，速度應該會比較慢。結果出乎意料，受試者反而更快地按下去。研究者歸納出一個結論，單靠懲罰沒有辦法遏止特定行為，反而可能會誘發出該行為，就像很多媽媽常抱怨的，「孩子很奇怪，明明就知道會被揍，還故意去做！」

　　對於這樣的結果，研究人員初步認為是因為緊張、心跳加速、肌肉緊繃而造成的神經敏感，「對受試者而言，反正都要痛，那就長痛不如短痛吧！」

　　但當實驗方式調整後，似乎又無法如此解釋。這次同樣是請受試者判斷數字大小，唯一差別是在作答時，某一顆按鈕的電流較弱，另一顆則相對較高。結果顯示，受試者只有在按電流較弱的按鈕時，才會快速按壓，當要按電流較強的按鈕時，儘管較疼痛，但作答的速度沒有明顯改變，也就是說，神經敏感並不是選擇快速按鈕的唯一因素。

　　艾德教授還認為：「由此可知，懲罰（電流）並不會壓制受試者的行為，相反地，如果經常使用『懲罰』來控制他人，反而會刺激他人更加頻繁地出現相同的行為。」不過心理學家也強調，這並不代表懲罰完全沒用，只能說光靠懲罰無法抑制犯錯。

我每次在教養直播時，只要提及小孩講不聽的行為時，總有多數爸媽留言回應：「再不睡覺就家法伺候」「再不關電視以後就不給你看」「你打人，我就打你，讓你知道痛」，原來這些懲罰早已被研究證實無效，難怪有那麼多的苦主在看直播。父母總是習慣遏止錯誤的行為，甚至以暴制暴，卻忽略了正確的行為需要引導。

光處罰沒引導，好行為不會內化

　　孩子的行為引導該怎麼開始呢？舉例來說，我們很討厭孩子說謊，於是很多父母會教：「東西是你藏起來的嗎？如果你老實說，媽媽就不會處罰你。」看起來這句話似乎沒有錯，只要誠實，就不會被懲罰，但其實這樣的說法仍然暗示孩子「不誠實會被懲罰」。很多父母看到這就不懂了，懲罰說謊有什麼錯？這就要從「動機研究」來說分明了。

　　加拿大麥基爾大學維多利亞・塔瓦爾（Victoria Talwa）博士，曾經探討三種親子間的溝通方式：內在動機溝通法、外在動機溝通法和暗示懲罰溝通法。該研究對於 372 位 4 ～ 8 歲的兒童進行誠實行為的影響。結果發現，儘管兒童預期不誠實會被懲罰，還是有相當高的比例選擇不說實話（懲罰會讓孩子選擇繼續犯錯）。

　　拿掉懲罰的暗示，並給予「外在動機」，例如父母說：「如果是你把東西藏起來，沒關係，我不會對你生氣；如果你誠實說，我會很開心，我很喜歡你說真話。」結果發現，孩子說真

話的比例顯著增加。

　　如果給的是「內在動機」呢？例如父母說出：「如果是你把東西藏起來，沒關係，我不會對你生氣；最重要的是你要誠實說，因為這才是對的行為，做人要誠實。」的話，的確也能增加說實話的比例，但還是不如給予「外在動機」的效果來得好。研究者認為，這是因為 4 ～ 8 歲的兒童會比較在乎能否取悅大人、贏得大人的注意，如果是年紀大一點的兒童，也許實驗結果就會不相同了。

親子溝通 3 法——內在、外在、暗示

內在動機 溝通法教道理

如果是你把東西藏起來，沒關係，我不會對你生氣；最重要的是你要誠實說，因為這才是對的行為做人要誠實

外在動機溝通法 沒有懲罰暗示

如果是你把東西藏起來，沒關係，我不會對你生氣；如果你誠實說，我會很開心，我很喜歡你說真話

預期懲罰 溝通法

東西是你藏起來的嗎？如果你老實說，媽媽就不會處罰你

說明 4 ～ 8 歲：引導好行為最有效

總而言之，要改變孩子的行為，有時候懲罰是必須的，好比說常聽到的「自然後果」，其實也是一種懲罰，讓孩子知道錯誤的行為會產生什麼樣的結果至為重要。

改變孩子犯同樣的錯，教養 4 招

1	冷靜、具體指出行為	明確讓孩子知道什麼才是正確的行為，不要只批評壞行為
2	示範正確行為	演練正確行為，孩子聽懂，不代表會做
3	肯定孩子的改變	不論是否表現出正確行為，只要有嘗試，就該給予獎勵，當然可以根據完成度，給予不同層級的獎勵
4	設定學習目標	提供多種學習目標行為，不要只有口頭告知，視覺提示、直接示範、劇本演練、情境模擬，都是好方法

教養的**真相** → 教孩子，不要只懲罰錯誤，更要肯定他的改變！

1-5 叫不動的孩子
父母先改變溝通術

教養雖然沒有對錯，但有時候若用錯方法，不但無效，也會造就孩子耳背、教不動的個性。就像做父母的都期待孩子能有高ＥＱ，但當他犯錯時，父母有時急著教導，而忽略了靜下心來了解孩子背後的原因與動機，示範了低 EQ 的行為，進而被孩子模仿。

> 孩子在過多的壓力下，
> 會把感官關起來

孩子叫不動，是大人溝通出問題

1　見面就批評，孩子耳朵關更緊

2　太嘮叨碎念，孩子聽不到重點

3　教小孩時，常常講出氣話

4　只要求聽話，少了傾聽孩子說話

我在臨床教學將近 20 年，看過很多叛逆的孩子，發現他們之所以不聽大人的話，其實是大人在教養時做錯了 4 件事：

管教說重點，孩子的耳朵會打開一點

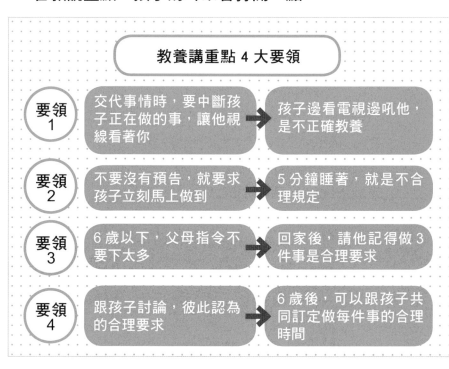

教養講重點 4 大要領

要領 1　交代事情時，要中斷孩子正在做的事，讓他視線看著你　➡　孩子邊看電視邊吼他，是不正確教養

要領 2　不要沒有預告，就要求孩子立刻馬上做到　➡　5 分鐘睡著，就是不合理規定

要領 3　6 歲以下，父母指令不要下太多　➡　回家後，請他記得做 3 件事是合理要求

要領 4　跟孩子討論，彼此認為的合理要求　➡　6 歲後，可以跟孩子共同訂定做每件事的合理時間

爸媽一定要記得，大人都做不到的事情，千萬別一口氣要求孩子都做到。例如，很多父母只要時間一趕，在開口交代孩子時，就是一連串不停地說「我再 1 分鐘就要出門」，這樣只會讓孩子生氣、放棄，因為他聽不完整你的重點也做不到。

美國心理學家曾發現，單單一個指令裡，成人只能接收到 7 個上下的重點，6 歲以下的小朋友更少，大約 3 ～ 5 個重點就是極限了。

管教的重點是，交代事情時，要讓孩子中斷正在做的事，讓視線看著你，且要以短小輕薄的句子為原則，愈簡單、愈明確、愈好理解的才是最理想的指令，而且要提出合理的要求，讓他們發自內心並付諸實現。例如：「9點全部關燈睡覺」，可能就是缺乏彈性的不合理要求；而「9點～9點半關燈睡覺」，就是較合理的要求，他們會比較願意接受。

父母太嘮叨，孩子會情緒反抗

當父母總是叨唸著孩子要把功課做好、要把玩具收好、要乖乖坐著吃飯時，多數孩子心裡想的是：「拜託，我會做啦！你好囉嗦、好煩唷！」這種生活中大小事都要管的直升機父母，反而會讓孩子產生被動式抗議。

管教中的重點是，信任孩子會做好，所以交代他做好自己的事就好。雖然，很多時候孩子不一定會做得到，但如果一星期裡有一天孩子能自己把事情都做好時，就要記得給予鼓勵與讚美，這才能讓孩子成長並從中發現自己的進步。

教小孩，多些肯定句

現代父母工作忙碌，有時會在教養的過程中，無心用了一些情緒化用語，好比說：「噢，你又把玩具亂丟，難道你不知道我每天工作很忙、很累嗎？再這樣下去，媽媽會瘋掉耶，你希望媽媽瘋掉嗎？⋯⋯」等諸如此類的字眼，傾洩在和孩子的對話當中。

教養的重點是，當孩子做了搗蛋事時，用溫柔堅定的口氣，當他的面說：「媽媽今天工作有點累，我們一起來把玩具收拾好，

你是我的小幫手，我等你！」當他跟著自己一起收拾時，記得要感謝他、讚美他，例如「你真的幫了媽媽很大的忙」。

建立孩子的同理心沒辦法一蹴可幾，是需要慢慢訓練的，記住不要用罪惡感、羞恥感來讓孩子順從，這只會令他陷入兩難。只要好好地說出你自己的感受就好，別把工作上的壞情緒雙倍加諸在孩子的身上，這雖然有點難度，但非常值得一試！

用溫柔堅定的語氣，幫孩子建立同理心

少些情緒用語

吼，你又把玩具亂丟，難道你不知道我每天工作很忙、很累嗎？再這樣下去，媽媽會瘋掉耶，你希望媽媽瘋掉嗎？你要累死我嗎？

溫柔堅定語氣

媽媽今天工作有點累，我們一起來把玩具收拾好，你是我的小幫手，我等你！

只要孩子聽話，卻忘了傾聽孩子說話

對於要兼顧工作又要做家事的父母，在忙亂的過程中，還要顧及孩子的教養，確實是件很辛苦的事。有時候，當自己在工作時，孩子特別愛來煩你，這時多數媽媽都會說：「沒看到我在忙嗎？在我忙的時候不要吵我……」等，敷衍地把孩子趕走，但孩子真的有話想跟你說，怎麼辦呢？

管教中的重點是，當孩子希望你聽，你卻沒空回應時，可

孩子不能跟著做，是要求語氣出問題

迷思 1	限制語氣	不准動，給我乖乖坐好
迷思 2	誇大	還不來，我看你是你們班最後到的
迷思 3	碎念	邊幫孩子穿衣服，邊碎唸他自己漠不關心
迷思 4	威脅	你再不去洗澡，就給我試試看
迷思 5	嘮叨	我不是要你寫完功課收拾玩具洗完澡後再去玩？飯吃光了嗎？記得收拾碗筷，聽到了沒？

以真誠的跟他說，自己正在忙忙完後就去找他。**媽媽真誠的說出自己為難之處，也是在訓練孩子等待、讓孩子願意相信媽媽。**

最後請記得，當你忙完時，一定要說到做到，去聽聽孩子想跟你說些什麼。

「王老師，為什麼我的孩子在學校裡的表現跟在家裡都不一樣，學校老師說他好懂禮貌、是個小幫手；怎麼一回到家，完全像是變了個人似的……」很多媽媽都有類似疑惑，老師跟媽媽的教法，到底差在哪裡？

我們都知道易子而教比較容易，孩子通常也愛挑戰父母的底線，雖說教養沒有對錯，但每天忙於工作與家事的父母，會習慣運用快速的方式解決親子間的困境，雖然不會對健康生活有嚴重的後果，不過，這卻是個無效教養，不但親子關係不會好，生活也不愉快。

無論是「限制、誇大、碎唸、威脅、嘮叨」哪種口吻，對孩子的學習與教養都沒有幫助。以限制口吻來說，這種做不到的教養不能輕易說出口，否則會養成孩子「反正我都做不到，乾脆不聽了」的心態；至於誇大法更要避免，當孩子愈大，只會覺得你說的都不是真的、都只是在騙人而已。

　　而威脅或嘮叨對孩子也沒好處，他不但無法內化、記不住，也容易養成耳背的習慣。我建議父母要經常找機會與孩子溝通和討論，包括讓他自己訂定計畫、給他時間讓他思考、不要急著想用立即見效的語言，才是有效的教養。

有壞習慣的孩子，父母先改變說話術

1	訂出合理範圍	制定能夠達到的規矩。例如，眼睛閉上，9點半前睡著就好
2	指令清楚不模糊	3～5歲的孩子。指令要給的清楚明確，例如，「來，把書包放櫃子上、玩具回他家、桌上沒有積木。」
3	平常就要跟孩子說明原因	求快總是容易自食惡果。如果孩子愛亂摸亂碰，找時間好好跟他說說話，多說幾遍，讓他記住你的在意點
4	說出孩子的進步點	教養裡不要有太多批評與負面指責，有時說出孩子的進步點，給予鼓勵，孩子反而願意打開耳朵認真聽

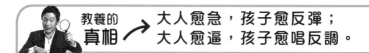

教養的**真相** → 大人愈急，孩子愈反彈；
大人愈逼，孩子愈唱反調。

1-6 沒有自信的孩子
學習失去「成就感」的真相

有個孩子來跟我哭訴：「我每天功課都要寫上五、六遍，寫完都是晚上 11 點，每次拿給媽媽看，就一直被擦掉重寫，我乾脆去死好了！」你沒聽錯，這孩子已經挫折到了谷底，不得不說出激烈的話！

> 孩子很挫折，因為他
> 看不到目標在哪裡！

爸媽都知道孩子需要得到肯定，但父母「太盡責」，常常徒增孩子挫敗的自信心，反倒造成負面效果。試想看看，如果大人一天到晚做白工，會有成就感嗎？還會想繼續做下去嗎？其實，小孩的心態也是如此。

當孩子能靠自己的力量完成功課，哪怕是被老師修正，也是完成，自然會產生自信心，這樣的孩子長大，才會有主動面對困難的能力。

孩子從小就在大人間比來比去，你以為他們還小不懂，其實他們心裡很清楚。而且，在這些比來比去的過程中，自信心就這麼一點一滴的流失。

對孩子產生的心理影響

1. 讓孩子容易自我懷疑、缺乏信心
2. 讓孩子容易善妒、自我否定
3. 讓孩子想法變得消極
4. 破壞親子關係
5. 容易變成緊張、敏感的氣質

　　曾經在幼兒園校門外，聽到一個阿嬤到學校接孩子時說：「老師教了這麼久的歌，你怎麼都還不會唱？其他的孩子都會唱了，你捒ㄟ架含慢！」說完，那個孩子就生氣地在學校門口耍賴不走，不一會兒又被罵了。當時我正在現場，忙著幫那個小朋友圓場，跟他阿嬤說：「我們在家也練習很多遍才會的，不是一次就學會了啦！」

　　其實我更想說的是，一個才 3、4 歲的孩子，知道被比較了，但似乎又無可奈何，想想心裡一定不是滋味，**這樣的無心比較有時候就是情緒爆發的主因之一**。學齡後的孩子，當他們拿了一張 95 分考卷回家，大人第一反應是：「你們班有沒有人 100 分？」「90 分以上有幾個人？」這也是一種無形的比較。

　　現在孩子的挫折耐受度低，爸媽卻一直要孩子搶第一、不能輸，從 2、3 歲開始，在孩子已經聽得懂大人的要求時，就一直說：「誰家的孩子表現的比較好……」，**於是他們會一直修正自己的氣質，以符合家長的過度期待，一旦達不到，就會失去自信心，只剩下挫敗感。**

用比較的教養方式養小孩，對孩子的心裡衝擊大，甚至會讓孩子的成長產生陰影。

比較言語，會讓孩子的成長產生陰影

比較言語

對孩子的影響

比較言語	對孩子的影響
比高矮胖瘦	高矮胖瘦有一半來自基因，並非孩子可以選擇，爸媽愈是比較，小孩愈不喜歡跟這些人在一起。
比能力	老是拿其他家孩子的成長速度來跟自己的孩子比，如：「人家都會自己坐馬桶了，你到現在還在包尿布！」只會讓追不上進度的孩子，對新事物更排斥、更恐懼。
比學習	才藝課，看到其他同學都乖乖做得很好，就開始積極介入。這會破壞孩子的內在動機，只是提早把這項興趣給抹滅罷了
比誰家乖	有些孩子會因此產生反其道而行的心態，認為反正我就是做不到，益發變得更挑戰父母、用更叛逆的心來吸引大人的關心
比成績	用超過孩子能達到的目標來要求他，這反而會讓孩子更沒心思放在學習過程與態度上。就曾有一名小學生很不服氣的跟我說：大人每次都說我考不到 100 分，那他們小時候就可以嗎？

這不是關心！比來比去，比掉的是自信心

10 招自信小孩養成術

1	尊重孩子的選擇
2	讓孩子嘗試錯誤
3	允許小小出錯
4	別常用激將法
5	不要比孩子還在意輸贏
6	學習沒喘息，會容易逃避
7	在孩子面前比，更容易自暴自棄
8	多一些成功經驗能建立信心
9	學習不會立竿見影
10	告訴孩子，態度與學習，遠比分數更重要

我們都知道不要過度比較孩子，但常因自己的焦慮，對孩子的關心變成了過度擔心，當教養淪為各種比較，對孩子的愛不知不覺間就成為他的負擔。如果想幫孩子建立自信心，應該要怎麼做呢？

尊重孩子的選擇

不要嚴格規定孩子的學習目標，要適當的給予他選擇的權

利。例如，若不喜歡學琴，沒關係，也許他喜歡玩打擊樂或唱歌呀！是不是也一樣能開啟音樂智能呢！

讓孩子嘗試錯誤

若孩子遭遇挫折或跌倒時，爸媽不要急著扶他一把，否則孩子不容易看到自己的弱點與缺點。例如，才剛學習寫ㄅㄆㄇ，你就嫌他寫得不好，要全部重來重寫，那麼，他就無從比較，學習不到字體工整的概念了。

允許小小出錯

別在孩子一犯錯時就不斷嘮叨責備，這樣孩子會變得容易緊張，擔心自己達不到大人的目標。例如父母最常說的：「我不是早就要你小心喝湯嗎？你看你又灑出來了！」類似這樣的語氣只會讓他愈來愈怕犯錯。有時，能力的培養是需要多一分的鼓勵、少一分的責備，孩子才更願意跨出去。

別常用激將法

有些爸媽喜歡用激將法來刺激孩子：「唉呀，我想你一定做不到！」其實激將法要看個性與時機的，太常使用這招，反而會讓他產生「我就是很差很爛，就是做不到！」的偏差心理。

不要比孩子還在意輸贏

有些爸媽比孩子更在意輸贏；好比說常在下課接孩子時會不經意的問：「今天考得怎麼樣？」「比賽贏還是輸了？」「今天老師有沒有稱讚你？」無形中都會讓關心變了調。有些孩子

很怕這種高度期許的壓力，這些會影響學習動機與表現。

學習沒喘息，會容易逃避

身邊很多學齡前的孩子，每天都在趕場學才藝，卻沒有時間適應新的學習，更沒力氣消化學習的內容，反而累積了許多挫敗經驗。最後只要可以喘息的時間又排進了新事物，就反彈或直接逃避。

在孩子面前比，更容易自暴自棄

教養要減少比較及懷疑的態度，尤其當孩子很開心的跟你分享自己一直突破不了的學習時，或者終於有了進步，但爸媽卻一副：「真的嗎？你有可能整天都沒被老師記點？」「你考了 90 分？那這次考題一定很簡單吧！」一旦時刻比較，孩子就會愈不想跟你分享，且破壞了他的學習動機。另一方面，爸媽懷疑孩子的努力，會降低他對你的信任與自信心。所以，當孩子有了新的學習與進步，家人理應要當他們最重要的後盾，只要能養成他重視學習過程、可獨力解決任務的能力時，自然會對自己產生信心，這樣即使日後遭遇困難，也會想辦法面對困境、解決問題。

多一些成功經驗能建立信心

知名的心理學家艾瑞克森（Erik H. Erikson），在其最著名的「心理社會發展理論八階段」中提到，要養成學齡期孩子的勤奮感，必須培養他們面對課業與他人互動的各項能力。這些能力若能讓他們順利完成課業或生活中的各項任務，且從中得到成就

感，這種種經驗會讓孩子產生自信心，並願意繼續努力。反之，如果此階段就不斷剝奪他們自我練習的機會，一來會讓孩子更依賴大人；二來會因缺乏倚靠自我完成任務的經驗，逐漸失去能力，日後會在生活中退縮，性格上也會比較自悲、懶惰。

學習不會立竿見影

許多家長是用分數來了解孩子的學習狀況，卻對他們從課業中是否得到能力感、對學習有沒有熱情等顯得不在乎。若發現孩子功課不好，不是怪他太懶、太笨，就是怪老師沒協助指導，但這都無法解決問題，反而可能加劇情況的惡化。尤其，爸媽都希望學習能「立竿見影」，以為只要「跟孩子說大道理」之後，就能進步神速，卻忘了培養能力、建立習慣都需要一步一步來。當孩子的課業有問題時，父母應該要試著找出原因，唯有了解原因，才能對症下藥。提供他適切的指導與協助，才能讓孩子從無知到知、從不會到會，建立起真正的「能力」，這才是影響孩子長遠一生的思維與態度。

告訴孩子，態度與學習，遠比分數更重要

到了中小學階段，學業能力的培養已經不單是呈現在成績好壞上了，所謂好的學習態度與習慣應該包括：時間安排與運用、為自己的作業負責、遇到困難懂得解決等，這些才是父母需協助孩子培養的能力。

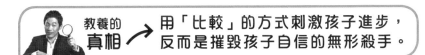

教養的
真相 → 用「比較」的方式刺激孩子進步，
反而是摧毀孩子自信的無形殺手。

1-7 沒有責任感的孩子
大人過度幫他是害他

不少媽媽的心聲就是「孩子，你為何要媽媽吼很多遍才聽得見！」你家也是這樣嗎？

1. 每天一回家就在喊「快點！快點！」

2. 媽媽愈講就愈大聲

3. 每天都在「重複」吼同一件事情

4. 媽媽生氣了，孩子還在狀況外

5. 明明每天該做的事，就是要搞到被罵才要做

6. 問小孩，他都知道要做，但為何就是不主動

7. 再有耐心，每天也碎唸到沒耐心

　　其實這中間最大的問題就是，父母習慣用吼的，孩子當然愈來愈耳背，愈來愈被動。以幼兒園老師為例，一次面對20～30個孩子，每天吼豈不早就失聲了？那為何多數老師可以有效管理，孩子在學校就會知道一進教室要整理書包、吃完點心會擦桌子、起床會折睡袋、收睡袋、玩完玩具會歸位，重點就是──用對方法！

孩子愈大，父母愈不能用「控制」方式教

我們的大腦裡有一個快樂計量器——「獎賞網絡」（reward network），遇到令人愉快的事，「獎賞網絡」就會活化，遇到不愉快的事就會關閉。現代的神經科學家與神經經濟學家證實，「獎賞網絡」不僅對接受食物、飲水或其他生存必需品會活化，對並非生存必需的次級獎賞（secondary reward）也會產生反應。這個次級獎賞，包含了「讚美」「肯定」「支持」……等管教的行為。

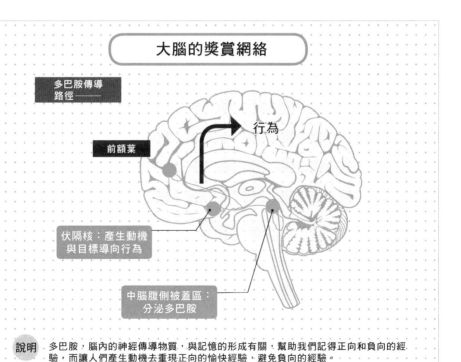

大腦的獎賞網絡

多巴胺傳導路徑

前額葉

行為

伏隔核：產生動機與目標導向行為

中腦腹側被蓋區：分泌多巴胺

說明 多巴胺，腦內的神經傳導物質，與記憶的形成有關，幫助我們記得正向和負向的經驗，而讓人們產生動機去重現正向的愉快經驗，避免負向的經驗。

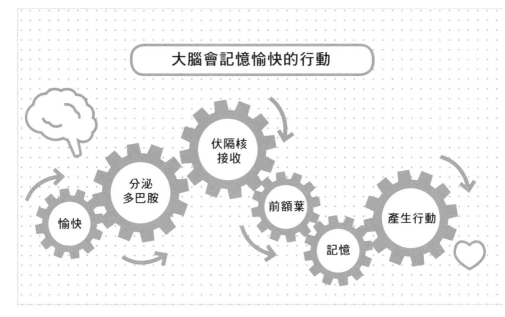

大腦會記憶愉快的行動

愉快 → 分泌多巴胺 → 伏隔核接收 → 前額葉 → 記憶 → 產生行動

　　而在這個網絡中，伏隔核（nucleus accumbens）扮演相當重要的角色，它是我們的報償中心，也就是「快樂中樞」（pleasure center），可以提供腦部必要的「學習動機」，使大腦產生想要的強烈衝動，讓我們去取得自己喜歡、想要或需要的東西。而多巴胺（dopamine）是整個獎賞網絡中重要的神經傳導物質，由中腦腹側被蓋區（ventral tegmental area）所分泌，它是正向的情緒物質，人要快樂，大腦中一定要有多巴胺，我們的快樂中心「伏隔核」裡都是多巴胺的受體，所有會讓人成癮的事物，都能提升「伏隔核」中多巴胺濃度。

　　當我們體驗到愉快的感覺時，大腦的獎賞網絡多巴胺就會分泌，伏隔核就會接收到許多的多巴胺，協助大腦設定目標：「我還要再得到這樣愉快的感覺，所以我要去做……」，因此將訊息傳送至大腦的總指揮——前額葉，並把這樣的記憶儲存起來，等到下次需要這種愉快的感覺時，就能迅速知道該做什麼事。而前額葉也會將訊息傳送至大腦動作區域，產生行動。

訓練孩子責任感，要讓他有負責任的愉快經驗

　　你覺得你的吼叫會產生快樂經驗嗎？當然不，父母愈是用吼的，孩子的動機消失愈快，想要化被動為主動，自然是更不可能。從腦科學角度來看是如此，從兒童心理來看更是如此，因此當你愈想要叫孩子照著做，孩子的情緒反彈也就愈大。

　　每天孩子放學回家，你會說什麼？「去洗手」「鞋子放好」「襪子不要亂丟」「不要開電視」「作業拿出來」……，你可能會講好多好多，但孩子覺得「你講那麼多，我沒有辦法達到目標，超過我的負荷」，於是就什麼都不想動，也動不了。家長應該要給予合理的劑量，反問孩子，讓孩子思考下一步應該是做什麼，而不是一直交代他，一個沒有思考能力的孩子，他就不會練就負責任，也不會有責任感。下面這幾個方法，也許對孩子來說有點難不容易做到，卻可以培養責任感：

鼓勵孩子培養責任感，為自己負責

1	讓孩子選擇刺激思考
2	讓孩子學習承擔自然後果
3	少一點威脅利誘
4	依照能力賦予可以達成的任務
5	鼓勵並強化主動這件事

讓孩子選擇刺激思考

可以用反問的方法，讓孩子選擇一回到家該做什麼事，回家後的作息也可以讓孩子自己計畫，在合理的範圍內，允許孩子自我安排，你會發現當孩子得到尊重後，動機自然會提升。

讓孩子學習承擔自然後果

大腦的報償中樞「伏隔核」不僅會對獎賞產生動機，也會有避免懲罰的動機，因此讓孩子面對事件的自然後果，其實是有助於孩子培養孩子的責任感。

少一點威脅利誘

培養責任感不該用威脅利誘的方式，這樣會讓孩子養成做事是為了某個利益或逃避懲罰，而不是發自內心的自我實現。

依照能力賦予可以達成的任務

例如對中班的孩子，一回家能不經提醒自己完成洗手、放好鞋子、放好書包、拿出餐碗，就該值得鼓勵了唷！

鼓勵並強化主動這件事

這會讓孩子更有自信，「我是可以完成的」，有成就感，會讓孩子更樂於主動。

安全搗蛋，讓孩子在信任裡自學

放手，相信孩子自己學得會

1	孩子需要的是引導而不是控制
2	得到信任才不會故意唱反調
3	在安全底線裡讓孩子自由發展
4	給孩子勇於冒險的機會

　　教養裡有個祕密：「孩子難控制是因為他知道你要控制他。」很多家長都問：為什麼要孩子往東，他卻偏偏要往西，有時還會回頭偷笑做些調皮搗蛋的事，仔細觀察就會發現，幾乎都是因為平日的規矩太多、框框架架的很煩人，他才會一逮到機會就搗蛋。當然，搗蛋也不見得都是壞事，只要在安全範圍內，請記得放手、放心地讓孩子盡情的玩。

　　如果年紀小的孩子想玩筆，大人又怕筆戳到他眼睛，多數都會禁止，或者跟他拉扯搶筆，有時反而是在拉扯過程中受傷。這時，只要換支較安全的筆給他，跟他說：「這支筆比較能劃出顏色唷。」**以引導式的方式教育他，會比控制行為的教養來得有效又輕鬆。**

　　有些媽媽因為擔心孩子做不好，所以處處急著想幫他完成。好比說刷牙，怕他刷不乾淨，乾脆自己幫他刷。但當你想

要控制著幫他刷牙時，這就代表了你並不信任他，尤其是正值叛逆期的兩歲兒，一定會非常生氣。比較好的教養方式是，信任他；雖然他刷得可能不夠好，但仍需要你的信任，讓他接觸、慢慢學習掌控與理解。**只要孩子懂得你的信任，漸漸地他就會聽你的話，不會處處唱反調。**

教規矩卻不控制，信任孩子讓他在安全的範圍內自由發展。家長可以謹守住自己的底線，不用十件事情有九件事都要掌握在自己手裡，這樣孩子是不會學習成長的。你必須放開那些沒有立即危險的規矩，同時也要教他什麼是危險的事，並且把他能做到的事說出來，給予鼓勵。好比說，不能在馬路上奔跑，這是一定要守的規矩，當他有天做到了，就要當場給予讚美：「你今天都沒有亂跑，好棒！」

孩子總是有種特質，愈危險的愈想要挑戰，從另一方面來看，是因為他們想從危險中發展出創造力，如果家長不想孩子涉足太危險的環境，那就要在平日多安排，設計有挑戰、有創意的遊戲，讓他們有勇於冒險的機會。

總之，教孩子不能只是碎念，懂得放手，給他盡情玩耍的時間與空間，慢慢找出親子間的彈性，累一陣子，總比累一輩子要好得多吧！

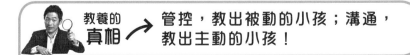

教養的 **真相** → 管控，教出被動的小孩；溝通，教出主動的小孩！

PART 2

慢吞吞的真相

2-1 慢吞吞的孩子
「快一點」是無效言語

某次有位小學老師跟我分享：「班上前五名的孩子，都是平常很主動的孩子。」我聽完心有戚戚焉，因為學習的態度，決定了學習成績，主動、能對自己的學習負責、有速度感的孩子，往往是團體中表現傑出的孩子。對於被動，而且總是需要催促的孩子，他們其實常對「快一點」感到麻痺，對該做的事很無感！爸爸媽媽們，我們要培養孩子「帶得走」的「主動學習」能力。

孩子慢吞吞，
有生理及心理因素

送孩子去學校時，經常看到換鞋區內，家長一直催孩子「快點、動作快一點！」進了教室，孩子不是拖著牛步去洗手，就是慢吞吞，忘了把書包放在固定位置、忘記脫外套……不疾不徐的動作，看在父母眼裡真會氣到想開罵！可是，你有沒有發現，即使罵過，隔天同樣的情形仍會出現，這到底是孩子天生動作慢？還是需要有效引導呢？

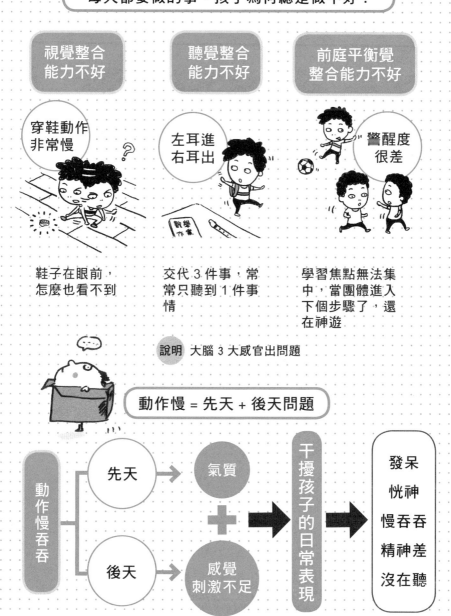

每天都要做的事，孩子為何總是做不好？

視覺整合能力不好

聽覺整合能力不好

前庭平衡覺整合能力不好

穿鞋動作非常慢

左耳進右耳出

警醒度很差

鞋子在眼前，怎麼也看不到

交代 3 件事，常常只聽到 1 件事情

學習焦點無法集中，當團體進入下個步驟了，還在神遊

說明 大腦 3 大感官出問題

動作慢 = 先天 + 後天問題

動作慢吞吞

先天 → 氣質

後天 → 感覺刺激不足

＋

干擾孩子的日常表現

發呆
恍神
慢吞吞
精神差
沒在聽

父母心裡想著：「為什麼孩子每天動作都好慢，好像什麼事都無所謂，真是皇帝不急急死太監！」這樣的孩子有可能是氣質及感覺統合能力失調，因為，感官處理能力不好，會對學習及日常生活的處理產生影響。

東西找不到的小孩

當孩子的視覺整合能力不好時，他們找東西或整理東西的能力就不好，也會影響到學習能力，一些需要用眼睛去學習、模仿的學科，都會受到影響，包括美勞、畫畫與拼圖等，到了小學之後，寫字能力自然受到影響，怎麼快得起來？

耳朵聽不到的小孩

聽覺整合能力不好的孩子，經常會左耳進右耳出，常常需要三催四請，有時候明明講了三件事，最後卻只聽到一件事情！這些孩子到了學齡前期，對團體複雜指令的跟從度只會力不從心，學齡後更會影響聽寫的能力，做事當然慢吞吞！

發呆恍神的小孩

這類孩子的警醒度很差，好像總是沒有清醒的一刻，無法融入周圍環境是最大的問題。尤其容易有起床氣，也經常發呆恍神，專注力不足，學習的焦點當然無法集中，甚至當團體都已經進入下個步驟了，他還在自己的世界裡，也難怪動作慢吞吞。他們的手眼協調能力差，會影響大肢體動作的發展，別說體育課，連排隊可能都跟不上！

從臨床的經驗來看，如果孩子慢吞吞的行為持續很久，且

怎麼調整教養的策略都沒效果時，這就不只是單純的學習動機問題，可能是感覺統合失調，簡單說，就是大腦的感覺處理能力異常。對於這樣的孩子，我有幾點建議：

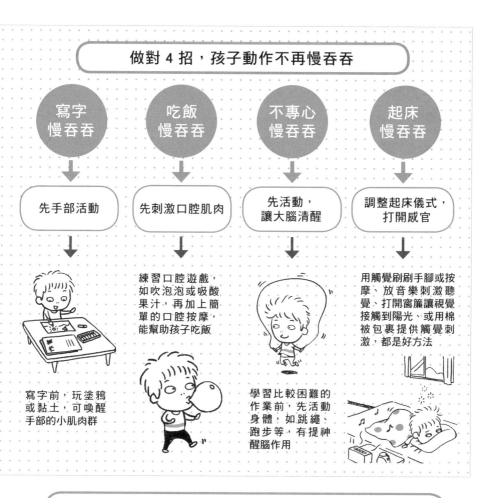

做對 4 招，孩子動作不再慢吞吞

寫字慢吞吞	吃飯慢吞吞	不專心慢吞吞	起床慢吞吞
先手部活動	先刺激口腔肌肉	先活動，讓大腦清醒	調整起床儀式，打開感官

練習口腔遊戲，如吹泡泡或吸酸果汁，再加上簡單的口腔按摩，能幫助孩子吃飯

用觸覺刷刷手腳或按摩、放音樂刺激聽覺、打開窗簾讓視覺接觸到陽光、或用棉被包裹提供觸覺刺激，都是好方法

寫字前，玩塗鴉或黏土，可喚醒手部的小肌肉群

學習比較困難的作業前，先活動身體，如跳繩、跑步等，有提神醒腦作用

教養的
真相 →

孩子慢吞吞原因有很多，大人卻只會「快一點」。孩子聽久了，都漸漸無感了～

2-2 常被提醒的孩子有「習得無助感」

媽媽帶孩子來評估,對孩子「被動、該做的事無關緊要、要人家一直催」感到煩惱。其中,最令我印象深刻的是,有個被動的小男生跟我說:「反正我又達不到老師要求的字體工整標準,也達不到媽媽要求的速度,我就是很爛,沒什麼好努力的!」

聽了之後,真的替這個小男生感到擔憂,小小年紀,就已經有「習得無助感(learned helplessness)」,甚至產生了絕望、抑鬱及意志消沉的心態,真是太危險了!這可是許多兒童心理及行為偏差的根源呢!

父母可能不了解什麼是習得無助感,也不知道當教養方式錯了,就會讓孩子更無助、更被動,因此,趕快來了解一下吧!

> ## 孩子被罵慢吞吞,
> ## 會產生放棄心理

所謂「習得無助感」是指人或動物,在不斷接受挫折後,會感到自己對於一切都無能為力,進而喪失信心,陷入一種無助的心理狀態。

1967 年塞利格曼（Seligman）教授在研究動物時提出「習得無助感」一詞，他以狗做了項經典實驗。實驗內容是，起初將狗關在籠子裡，只要蜂音器一響，就給以難受的電擊，狗關在籠子裡逃避不了電擊，多次實驗後，只要蜂音器響起，若將籠門打開，在電擊前，狗狗非但不逃，反而會先倒地呻吟和顫抖。本來可以有主動逃避的機會，牠卻選擇絕望的等待痛苦來臨，這就是「習得無助感」。

只能選擇放棄的習得無助感

說明　長期面對失敗與挫折，會無法調適衝突及壓力，改以逃避心態面對問題，形成逃避失敗的習慣。

之後，很多實驗也證明，這種習得性無助也會發生在人類身上。我從跟媽媽口中「被動、慢吞吞，做事丟三落四」的孩子諮詢互動中發現，這些到了小學還沒有自律的小朋友，多半都沒什麼自信，遇到困難很容易放棄、產生挫折。我認為，某些因素，與孩子一天到晚被「唸經」有關。

在教養中，多數父母會不經意地流於減分教養，也就是說，一開始先認定孩子的自律分數有 90 分，吃飯、睡覺、梳洗、收拾玩具及做好份內的工作，他都應該要做好。

但實際的教養現場就像戰場，無法時時刻刻盡如人意，一旦孩子做不到時，父母一急，就想插手控管，這時不僅音量大了、臉色難看，威脅恐嚇的語言也都一併出現了！

如果偶一為之還能接受，怕的是存在家裡的自律戰爭，就像八二三炮戰，始終打不完，最後搞得全家人身心俱疲，孩子自信心沒了，你也輸得慘兮兮。

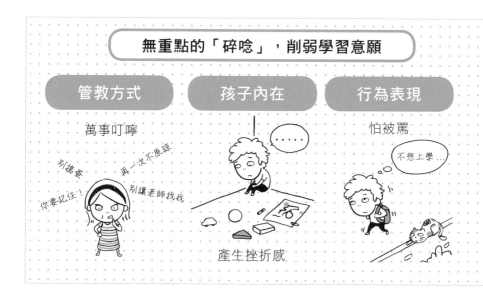

無重點的「碎唸」，削弱學習意願

| 管教方式 | 孩子內在 | 行為表現 |

萬事叮嚀 ｜ 怕被罵

別搗蛋
再一次不原諒
你要記住！
別讓老師找我

不想上學…

產生挫折感

大人常把「做好」當作是應該的，而忘了鼓勵

想幫孩子養成好習慣，如自動自發起床吃早餐而不賴床，當然能用獎勵與懲罰兩種方式，如果父母的教養上有很強的信念，認為這些是孩子本來就應該要做好的，那麼，他得到的懲罰一定會多。

雖然我不是要父母在孩子的行為教養上，一直給糖吃，但自律確實是很難的功夫，如果孩子突破自己，就別拉不下臉，該給的適當鼓勵仍是必需的。

運用小道具，幫助孩子建立時間觀

孩子還小時，往往不懂什麼是時間觀念，例如，再 5 分鐘、10 分鐘……到底是什麼意思？導致每次跟媽媽說好後，又賴在那不走的情況反覆出現，這時，你可以拿出「計時器」來幫忙，具體提醒孩子時間的意義，久了之後，他自然就有了時間觀。

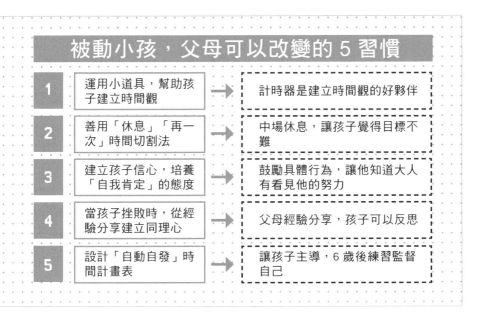

被動小孩，父母可以改變的 5 習慣

1	運用小道具，幫助孩子建立時間觀	計時器是建立時間觀的好夥伴
2	善用「休息」「再一次」時間切割法	中場休息，讓孩子覺得目標不難
3	建立孩子信心，培養「自我肯定」的態度	鼓勵具體行為，讓他知道大人有看見他的努力
4	當孩子挫敗時，從經驗分享建立同理心	父母經驗分享，孩子可以反思
5	設計「自動自發」時間計畫表	讓孩子主導，6 歲後練習監督自己

善用「休息」「再一次」時間切割法

　　很多孩子專注力不夠，無論怎麼努力都達不到標準，沒多久就會直接放棄，導致連玩玩具、學才藝、寫功課等，都只有3分鐘熱度，這時，建議父母可用「時間切割法」。假設回到家是下午4～5點，可視今天功課的多寡，幫孩子切割3～4個區塊，中間隔5～10分鐘的休息時間。讓孩子覺得，其實寫功課沒那麼煩人，也會更專心。孩子專注力的拉長，再縮短休息時間或延長寫作業的時間，幫助孩子完成及達成目標。

培養「自我肯定」的信心

　　如果孩子透過上述方式完成一件事之後，記得要適時、適當地給予具體鼓勵，讓孩子有感。所謂具體鼓勵不是給零食、送玩具，也不只是說：「你很棒！都有做到喔！」而是告訴孩

子：「你剛剛在1小時內寫完3份功課，還會自己收玩具，媽媽覺得你很貼心，也很厲害呢！」這樣的鼓勵，會讓孩子知道什麼事是好的、對的，也知道你都有看到他的努力，孩子就會從中汲取正向經驗，進而建立起肯定自我的信心。

當孩子挫敗，父母經驗分享建立同理心

當孩子已經養成時間觀念後，我們就要開始帶著孩子學習

自動自發，自主規劃時間。我相信中間一定會有過渡期，若有挫敗，仍要適時給予打氣；你可以分享自己時間規劃的經驗及好處。例如，媽媽會做時間計畫表，按照計畫表執行，該做的事情就能如期完成，還能騰出時間休息喔！

帶孩子「自動自發」計劃時間

陪著孩子一起規劃每天的時間計畫鐘，讓孩子主導，可學習到自主思考，什麼時間該做哪些事情，你只要從旁協助給予建議就好。這樣做，不但可以讓孩子有自主權，也讓孩子在一次次的制定計畫中調整與修正，慢慢地，就會培養出自律觀。

5 歲前，小孩也可以培養自律

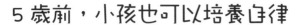

　　父母都想要孩子自動自發，所以家裡總是充斥著「我數到 3 喔！」很多人都說孩子的自律要等到小學才能培養，我卻認為，自律可以從 5 歲前的日常啟動，以免大了以後練不動。關於兒童發展上的關鍵期，科學育兒派的我有不同見解：

從 6 個月開始，打造孩子的自律基礎能力

6～7 個月	吃副食品時，孩子該有固定的用餐區域，或自己的餐桌餐椅
10 個月	可以開始教導孩子「自己收拾玩具」的內在概念
1 歲	孩子能逐漸配合穿衣穿鞋、穿尿布等自理能力
1 歲 2 個月	可以帶著孩子一起收拾玩具
1 歲 6 個月	訓練幼兒用餐規範、生活自理的關鍵期
2 歲	開始建立時間到了該起床、該出門、該上課等與行動有關的時間觀
2 歲半	給孩子一個專屬小背包，讓他管理自己的玩具或物品
3 歲以上	培養時間觀念、自動自發、避免忘東忘西的關鍵期

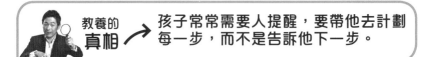

教養的**真相** → **孩子常常需要人提醒，要帶他去計劃每一步，而不是告訴他下一步。**

2-3 拖到最後的孩子 沒有時間概念怎麼教？

宣宣在看世足賽，正開心的時候，媽媽喊：「宣宣，我不是跟你說過，回到家要先寫功課嗎？怎麼又先開電視看？」宣宣不耐煩得說：「好啦，等我看完這上半場就去！」過了一會兒，媽媽繼續說：「叫你去寫功課還不快去，你今天功課是要寫到幾點？快去寫啦！老是講不聽。」「唉唷，就差一點點了嘛！快結束了啦，看到球踢進去就去寫，一下下就好……」這時媽媽也氣了起來：「每天都再一下下，我今天只給你 10 分鐘喔，超過 10 分鐘，你試試看……。」

10 分鐘後，宣宣繼續看著電視，只見媽媽氣急敗壞的吼叫：「10 分鐘囉，還在看？」結果宣宣就開始找藉口「上次就可以看」，硬ㄠ只過了 2 分鐘。媽媽愈來愈生氣，非得要作勢打宣宣，他才肯進房間……。

> ## 明明可以先做，為何要拖？
> ## 4 種管理時間的方法

　　類似情境有沒有很熟悉？每次要叫孩子做什麼，都只等到他說：「等一下！」給他時間，最後還是起番不聽，最後搞得母子倆都賭氣。

學習管理時間，孩子才不會拖到最後一刻

方法 1	把時間主導權還給孩子
方法 2	明訂作業完成的自由時間
方法 3	三分法則
方法 4	視覺化計畫表

方法 1：把時間主導權還給孩子

　　如果有像宣宣一樣的孩子，所有媽媽應該都會生氣：「為什麼每次與孩子爭執，孩子總會頂嘴說 10 分鐘還沒到呀！」實情是，孩子根本無法定義 10 分鐘到底有多長，媽媽總以為孩子在耍賴，其實你們是在雞同鴨講。

　　這時候，就要把主導權還給孩子，遇到這種情況，我會說：「那你說說看，你還要幾分鐘？」讓孩子自己去思考，幾次之後，他就會了解 5 分鐘、10 分鐘到底是多長。假使，孩子隨口說了一個天文數字又該怎麼辦？建議媽媽也可以用開玩笑的口吻幫他數數，如把 1 秒當做 100 或 1000；或者，使用定時器，時間一到自然知道。

最重要的是，讓孩子從自己的口裡說出時間，會比媽媽強制約定來得有效多了。

方法 2：明訂作業完成「有自由時間」

千萬不要將孩子下課後的時間全部規定成他必須要做的事情，尤其是小學生媽媽，很習慣在小孩放學回家後，把 6 ～ 10 點的時間全做規範，包括寫功課、練琴、收書包、洗澡、看書、睡覺等，完全沒有讓他有開心玩遊戲的時間，這會讓孩子心裡更不平衡。

最好的方式，是讓他在做完指定功課後，有 30 分鐘的自由遊戲時間。例如，明訂晚上 8 ～ 9 點，讓他自由自在不用做任何事。這段時間不能要他去刷牙、提早上床、或收拾玩具等，要讓他知道：「媽媽是說到做到。」

父母要事先跟孩子約定好，明確讓他知道有自己可以自由掌控的時間。記得，要不斷提醒孩子這段時間外的其他時間，就必須把該做的事情做好，如果沒做好，就會壓縮到玩樂的時間。如果已經訂好時間，但孩子某天作業多，就是寫不完怎麼辦呢？這時千萬不能說：「你功課都寫不完了，還玩什麼手機？」只要輕聲告訴他：「是你自己因為做了……，占掉了時間，不是我。」這能幫助孩子做好簡單計畫，長大後就比較不會落東落西。

方法3：一次只規定3件事

　　很多家長為了要讓孩子動起來，會一件事一件事交代，好比說，要他一回家後趕快先寫功課、然後吃飯、洗澡、練琴、看書等，但這樣會讓孩子無法做好計畫，這時該怎麼做呢？通常我不喜歡一句話說得落落長，囉哩囉唆反而會讓孩子不想聽，也聽不懂。

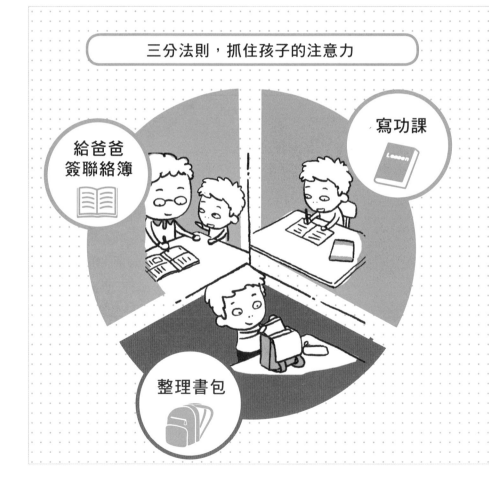

因此，我只會規定 3 件事，例如：「8 點前，你要做好 3 件事，第一寫功課、第二整理書包、第三給爸爸簽聯絡簿。」這 3 件事可以自己分配時間，但不要多給一件或兩件，也不要只給一件，「就只要 3 件就好」。

　　另外，在告訴他的時候要看著他的眼睛，讓他從電視或手機中回神，否則，如果是邊看邊玩邊回話，那就等於白說了！這時，看著孩子跟他說清楚：如果你想要爭取等一下多玩一下（或多看一點電視），現在先聽我說。「你還要多久，我讓你自己決定。」

　　有媽媽會問，如果功課太多寫不完，能不能先讓孩子玩一段時間後再回去寫功課？我不反對當孩子功課太多寫不完時，讓他休息一小段時間做別的事情，再回去寫功課，但不同意用這段時間看電視或玩手機。

　　的確，當孩子愈大，寫功課的時間只會愈來愈長，超過 1 個半小時的時間甚至比比皆是；但基本上，孩子的專注力只有半小時，如果沒有分段休息無法撐下去。若這段休息時間是讓他做會分心的看電視、玩手機的話，反而會使他專注力更不足，影響後續的功課寫作，得不償失。

方法 4：視覺化計畫表

　　沒有人天生想要做個吼吼媽，只是教養的方式不對罷了。媽媽可以製作一個視覺計畫表，讓孩子從小學習訓練，這個方式除了可讓父母了解孩子時間規劃的能力外，也能讓他了解時間的邏輯性。但要記住，一定要給孩子遊戲的時間，才能達到平衡。

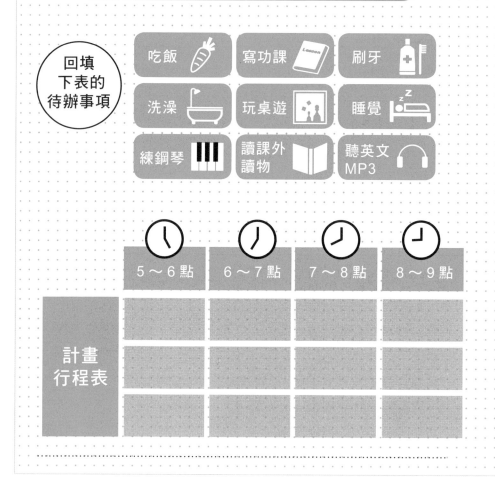

視覺計畫表，讓孩子自己安排時間

回填下表的待辦事項

	吃飯	寫功課	刷牙
	洗澡	玩桌遊	睡覺
	練鋼琴	讀課外讀物	聽英文MP3

計畫行程表	5～6點	6～7點	7～8點	8～9點

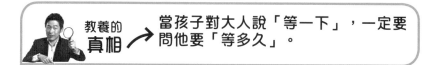

教養的**真相** ➔ 當孩子對大人說「等一下」，一定要問他要「等多久」。

上小學前，父母該訓練孩子 P.E.T 3 能力

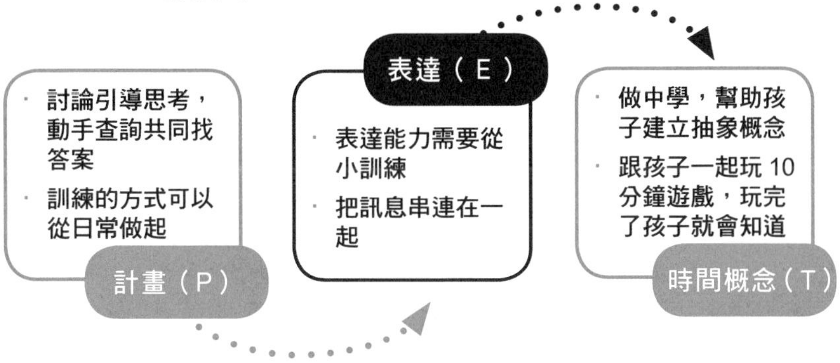

表達（E）

- 討論引導思考，動手查詢共同找答案
- 訓練的方式可以從日常做起

計畫（P）

- 表達能力需要從小訓練
- 把訊息串連在一起

- 做中學，幫助孩子建立抽象概念
- 跟孩子一起玩 10 分鐘遊戲，玩完了孩子就會知道

時間概念（T）

　　計畫（P）：很多家長只擔心孩子的知識不足，卻忽略能力才是最重要的。計劃能力，就是讓孩子學習自理的最好方式，訓練的方式可以從日常做起。好比說，讓他計劃戶外旅遊的路線，包括旅途中該帶些什麼、該注意些什麼等。只要及早啟動討論，孩子就會變得主動。父母能做的，是先討論、再引導思考、帶孩子上圖書館動手查資料、最後共同找答案。

　　表達（E）：孩子的表達能力是需要從小訓練的，尤其是在幼小銜接的階段裡，就要在日常中訓練孩子這項能力。雖然年幼的孩子可能無法把事情全部描述得很清楚，父母要做的，就是一步步詢問細節，讓他思考過後，表達得更清楚。

　　時間概念（T）：10 分鐘到底有多久？即使是小一、小二的孩子可能都只有抽象的概念，要如何訓練？父母可以這樣做，當他邀你一起玩遊戲時，給他一個時間，好比說 10 分鐘：「你有 10 分鐘可以玩唷！10 分鐘後我就要去幹嘛幹嘛了。」等到他發現原來 10 分鐘那麼短時，慢慢地就會學習到時間計算的概念了。

2-4 不主動的孩子都要人家提醒

演講中，有媽媽發問：「我也不想整天吼小孩呀！但我不嗯，他們就『不會主動』寫功課、收拾書包、看書找答案，搞得自己也好累……。」我經常聽到許多媽媽唉聲嘆氣，都覺得自己的小孩好被動，什麼事情都要人提醒，最後還跟孩子整天嘔氣，長輩也常把媽媽當黑臉拿來做擋箭牌，凡事都跟孩子說：「跟你媽媽說！」搞到親子關係緊張，孩子一樣不會主動，真是裡外不是人！

研究：從小主動性高，日後學業成就高

很多研究都發現，自動自發對未來的學習有極大的好處，孩子如果能從內在動力誘發其興趣與毅力，比較能強化他的專注力，而這些主動性高的孩子日後在學業上的表現，也會優於被動學習的人，並且能獲得更多的學習樂趣。而當孩子懂得自動自發時，家長也能省事許多，不必整日費盡心思想方設法地提升孩子的學習力。

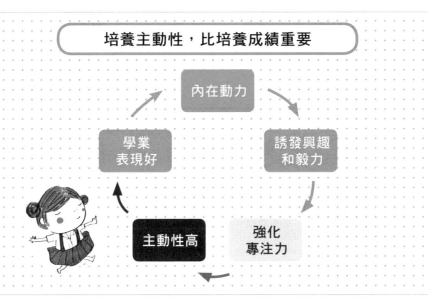

培養主動性，比培養成績重要

內在動力 → 誘發興趣和毅力 → 強化專注力 → 主動性高 → 學業表現好 → 內在動力

　　但要孩子自動自發到底有多難？爸媽要幫孩子做多少才夠？這其實是很深的學問。面對不同個性的孩子，有時你做得太多會怕他長大後成了「媽寶」；但做太少，又擔心孩子沒有對象能模仿學習，好兩難對吧！

　　其實我常說，你就是孩子最好的模仿對象，是他成長的一面鏡子，每個孩子都需要被「教導」，需要由大人的陪伴引導，但有時卻會為了講求時效及完美，忍不住地多幫孩子做了很多；所以，愛他就別阻礙可以讓他自我學習的機會。

父母做得好好的，孩子會失去分辨優先順序的能力

　　日本研究發現，3 歲以後，父母什麼事都幫孩子做得好好的，不讓孩子動手做家事，結果是讓孩子分辨優先順序的能力，表現的比別的孩子差。

學主動，5 件事優先訓練

第 1 件	日常生活自理能力
第 2 件	社交技巧與分享能力
第 3 件	奠定遊戲中專注力技巧
第 4 件	團體中動態學習能力
第 5 件	語言表達能力

3 歲前，培養自信心的 4 個生活好習慣要愈大愈主動

自己
吃飯 ▶ 生活
習慣 ◀ 自己
穿褲子

自己
上廁所　　自己
洗手

4 種社交力，幫助小小孩適應團體生活

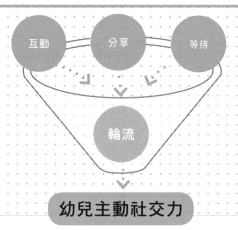

互動　　分享　　等待

輪流

幼兒主動社交力

如果孩子對每天自己要做的事情，前後順序都分不清楚，到了入學後，少了爸媽在身邊時刻盯他、幫他，他就會不知道該如何安排自己的時間，這時要再讓他自動自發，就相對變得困難許多了。

生活自理能力↑，主動↑

最好能在孩子 3 歲前，你就逐漸放手訓練他的「飲食獨立」「如廁獨立」「盥洗獨立」等日常生活自理，提早養成這些獨立的習慣，對他的自信心與成就感也相對較高，能有更多的時間來處理接收新的學習。

社交技巧與分享能力↑，主動↑

如果可以，早一點幫孩子找玩伴，這樣可以早點發展社交能力，也能早些練習與其他孩子互動、分享、輪流、等待的技巧。建議你平常多帶孩子從事社交活動，包括親友聚會、親子課程等，這能讓他有觀察你與朋友互動的機會，他就可自然而然學習如何與周遭人群互動、應對進退，對未來適應團體生活也能有幫助。

奠定遊戲中的專注力↑，主動↑

很多孩子對玩玩具很沒定性也沒耐心，雖然年幼的小孩本來就很難乖乖坐好玩遊戲，但隨著年齡的增加，如果仍然無法安靜持續的玩遊戲，日後到了大團體中，專注力會更分散，變成團體中的游離者，需要老師費很大的勁才能拉回注意力。建議你，從 2、3 歲後，就陸續利用一些靜態的小遊戲如黏土、

拼圖、積木、角色扮演、聽故事等方式，來培養他的專注力。

動態學習能力↑，主動↑

　　有些孩子在團體中總是很安靜，很想參與大家卻找不到竅門，只是默默地在旁邊觀察不說話，常令爸媽擔心他們的社交能力。我發現，這類孩子，通常多是因為玩動態遊戲的能力不夠，好比是玩球反應、平衡感、折返跑、肌耐力、姿勢協調、感覺統合等，比較跟不上其他孩子，因此才選擇不玩。建議你，平日多觀察孩子的運動類型，如果要增加專注力，可多玩球類活動，因為在玩球過程中，一般都會包含跑步、協調、平衡、視覺空間、速度及敏捷度，對於專注力的提升很有幫助。

對孩子專注力發展，重要的靜態遊戲

專注力小遊戲

5 聽故事
1 黏土
2 拼圖
3 積木
4 角色扮演

孩子語言的表達能力↑，主動↑

　　2 歲是孩子語言的爆發期，這時他們的表達與理解能力會快速提升，只不過，孩子需要的語言能力，學校與家裡會有點不太一樣；在學校我們需要孩子能有「主動式的社交語言」，而不是被動的仿說及表達。所以平日當孩子有需求時，做父母的千萬不要只是他一有表情或動作，就立刻給予回饋。多多詢問孩子「為什麼」，讓他有練習用語言表達情緒、感覺、想法等的機會，這能讓他進入學校生活更加順利。

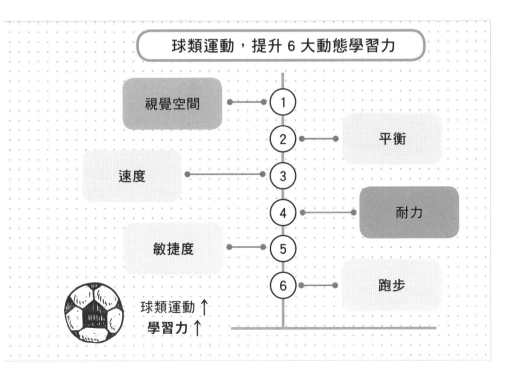

球類運動，提升 6 大動態學習力

視覺空間　①
② 平衡
速度　③
④ 耐力
敏捷度　⑤
⑥ 跑步

球類運動↑
學習力↑

多問「為什麼」的開放式問句，增加主動表達的語言力

被動式
社交語言

敘事

仿說

主動式
社交語言

表達情緒

表達想法

表達感覺

未來成功的關鍵，
孩子最該學會的 3 種能力

 思考

培養孩子解決問
題的能力，不要
單靠死背

 提問

經常給孩子有
問「為什麼」
的機會

 表達

鼓勵孩子多練習
表達，多參加演
講、表演等活動

 教養的
真相 → 有好的學習態度「主動、專注、表
達」，就會有好的學習成績。

2-5 叫不動的孩子 總是拖拖又拉拉

「為什麼孩子回家後都不會主動，感覺什麼事情都要媽媽做好？」「為什麼總是要提醒他做下一件事情，不然好像都不關他的事？」你是不是也有好多為什麼？總覺得自己每天都回到原點？是一直重蹈覆輒的「原點媽」？如果小孩從幼兒園開始就每天「拖拉慢」，沒有時間概念，上了小學以後，只會更嚴重！

[**小一到小四，**
是戒掉孩子拖拉慢的關鍵]

上了小學後，老是「拖拉慢」的孩子在團體中會很吃虧，因為他會愈來愈沒有成就感、也會沒有自信，想想看，他每天都處於被罵、被催的情境中，哪會開心呢？

而且，他的動作愈是拖拉慢，放學只會愈晚，回到家寫功課速度又慢，當然不能好好睡覺，隔天一定爬不起來……。這樣惡性循環下去，學習動力就被慢慢消磨了。

其實，孩子在小一之前直到小三或小四，是戒掉拖拉慢最好的時間；甚至在學齡前也應該先養成好習慣，等到上小學後，

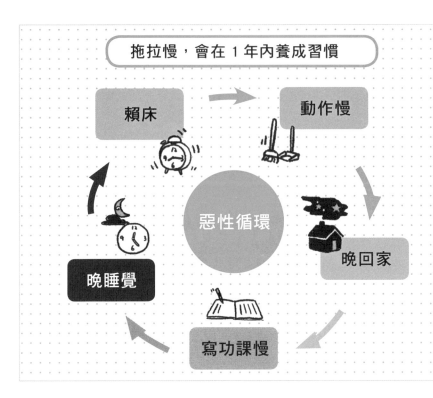

拖拉慢，會在 1 年內養成習慣

賴床 → 動作慢 → 晚回家 → 寫功課慢 → 晚睡覺

惡性循環

才不會讓人傷透腦筋。拖拉慢的孩子跟發展、氣質沒有關係，有的只是父母教養的經驗與技巧不足，而這是可以被訓練的，且也要搭配專注力的議題一起去考量。

對付拖拉慢，要訓練孩子的 ATMP 能力

A- 大腦警醒度差

你想想，孩子在學校或安親班，已經寫了很多評量與功課，累了一整天，早就魂不在又沒精神，這時正是大腦警醒度低弱

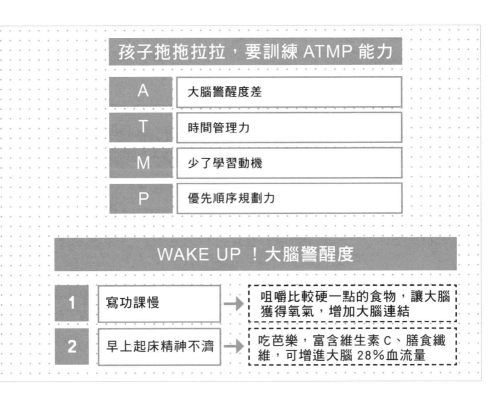

的時候，要他做什麼事情當然拖拉慢。就像現在很多小孩一早起床，先是無精打采的洗臉刷牙、接著換衣服、吃早餐、再進教室。可別以為這些孩子到了學校後精神就會轉好，很多時候即使是上到第二堂課（約 10 點），多數人都還是頭腦昏昏沉沉的，無法集中精神，記憶力當然也好不到哪裡去。

這時該如何訓練？我建議在孩子回家要寫功課前，先讓他咀嚼比較硬一點的食物，來增加大腦的連結，這可以幫助孩子接下來在做功課、寫評量、聽英文 CD 或學新事物上更具專注力。原因是，啃食硬的食物，大腦的血流量能增加警醒度，只要讓大腦有氧氣後，它就會甦醒過來。

如果孩子早上起床精神不濟，就多準備需要咀嚼的早餐讓他吃，在這些硬的食物中，最好的是芭樂，芭樂既硬、又有維生素 C、膳食纖維等營養，孩子啃的時候可增加他大腦 28% 的血流量，何樂而不為呢？此外，酸性食物如檸檬水、或者運動一下像跳繩等，也可達到相同的效果。要記住，最要不得的點心是巧克力與麵包或零嘴，因為太甜的東西雖然吃完後覺得滿足，但大腦張力卻會在瞬間提升後下降，這樣孩子就更沒有精神寫功課了。

T- 時間管理力

小一的孩子，可能還不明白你要求的 10 分鐘長度能做幾件事，這需要經過練習，所以，一定要從幼兒園開始，就訓練孩子的時間管理力，包括可讓他試著戴手錶，教他計算時間。

訓練時，你可以跟他說：「聽英文 20 分鐘後就能讓你休息，如果不知道 20 分鐘多長，只要指針到數字幾就是了。」或者也可以比喻，例如，「就是玩一場勇闖神祕島桌遊的時間」等於是把時間概念具體化，讓孩子連結出 20 分鐘到底有多長，而不要讓他以為很久，感覺無法達到你的要求。

教孩子時間管理，還有一個重點就是分配。你可以問他，「你寫完一頁數學作業，需要多久時間？」有些孩子會驕傲的說，「我 5 分鐘就能寫完一頁。」這時不用急著打槍他，等他寫完後，再跟他說，「哥哥你這頁數學寫了 15 分鐘耶，好像不只 5 分鐘呢！」這能教導他如何分配時間，而不是貪心的以為短時間內就能做好很多事情，大部分的小二、小三生，經過平常的練習後，時間管理能力就會愈來愈強。

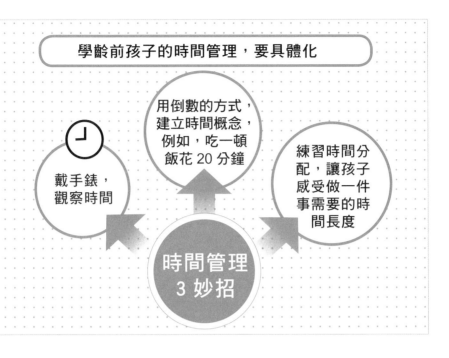

學齡前孩子的時間管理，要具體化

戴手錶，觀察時間

用倒數的方式，建立時間概念，例如，吃一頓飯花 20 分鐘

練習時間分配，讓孩子感受做一件事需要的時間長度

時間管理
3 妙招

M- 少了學習動機

你會發現，很多孩子好像做什麼事情都沒動機，凡事無所謂，真的是沒有學習動機嗎？其實有些時候，孩子是因為每天被罵、被唸、被吼叫，而造成他們沒有成就感，當他自認沒成就感、沒動機、沒目標、覺得怎麼做都達不到大人的期望時，就什麼事情不想做了，只想到要先玩。

成就感是可以訓練的，至於要怎麼做？建議可以利用獎勵制度，但要跟他一起訂定才行，這才會讓他珍惜並記住。好比說，給他一些完全自由的時間，但是這時間內你要記住不能嘮叨、碎唸，除非跟安全有關，否則就別管他在玩什麼吧。

獎勵也有技巧的，只要他的作為比昨天進步就好，千萬別拿比較爛的速度來比較，否則他還是會放棄。再大一點的孩子，

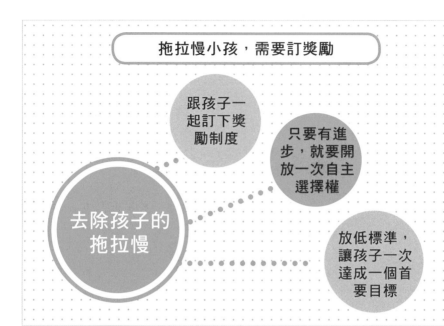

拖拉慢小孩，需要訂獎勵

跟孩子一起訂下獎勵制度

只要有進步，就要開放一次自主選擇權

去除孩子的拖拉慢

放低標準，讓孩子一次達成一個首要目標

如果連續 3 天都能在 8 點前把功課與評量完成就很棒了，這時，可以讓他選擇週六、週日遊玩的地點當作獎勵。

很重要的一點是，拖拉慢很嚴重的孩子，一定要放低標準，就像寫功課時，不要一邊寫一邊擦著要他重寫，你要想想自己是希望孩子達到速度還是品質，別想要這兩者一起達成，這是辦不到的。至於獎勵制度會不會讓孩子變得功利？我認為只要不是給物質獎勵，而是花更多時間陪伴，就不會有問題。

P- 優先順序規劃力

很多孩子不知道如何安排優先順序，他到底應該先寫功課、做家事、洗澡或吃飯，如何教他安排？

你可以讓孩子跟你一起排優先順序，但這是得讓他能自己記住的順序，所以不要直接下指導棋，讓他來安排，你只要在

寫作業，可以帶著小孩一起規劃順序

時間規劃
4 撇步

和孩子
一起排序

先做簡單的，
可以得到
成就感

先寫動腦的，
提升大腦
警醒度

先寫喜歡的，
培養專注力

旁給建議就好。記住，所有事情都要跟他討論優先順序，包括寫功課也要有順序，要先寫困難的、還是簡單的？我認為，孩子普遍都希望寫簡單的，這當然可以，先做簡單的，可以讓他得到成就感。另外，也應該先寫喜歡的、需要動腦的，因為重複的功課會讓注意力降低，如果本身專注力就不夠，就會受到影響。而先寫動腦的，則可以提升大腦警醒度。

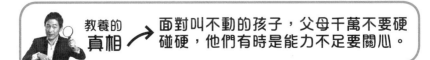

教養的
真相 → 面對叫不動的孩子，父母千萬不要硬碰硬，他們有時是能力不足要關心。

喬治正在玩蘋果，這時媽媽走過來，跟他說：「你應該要去拼拼圖囉，上次吵著我買的拼圖，結果只玩一次就不玩了，要不要去玩玩看？」這時，喬治回媽媽說：「我拼的不好、我不會！」「你會啦，上次我們已經玩過一次啦，你再試試看啦。」只見喬治頓時起歡（台語）：「我就說我不會、我不會嘛！」這時，你是不是會開始叨唸：「你每次遇到事情都先說不會，真的很奇怪ㄟ你。」……

孩子說「我不會」，
不是能力問題，是自信問題

你有沒有發現，有些小孩3歲以後，就開始愛說「我不會、我不要」，這樣的孩子，到了4歲，就會出現更多的「我不要」，等到5、6歲開始面對學習新事物時，別懷疑，他一定更會說「我不想學、我不會」。這到底怎麼回事？

在教養的過程中，最令人擔心的是，很多家長並沒有收到孩子回饋給你的訊號，或者，經常把鼓勵變了調，讓鼓勵變成壓力或親子衝突。

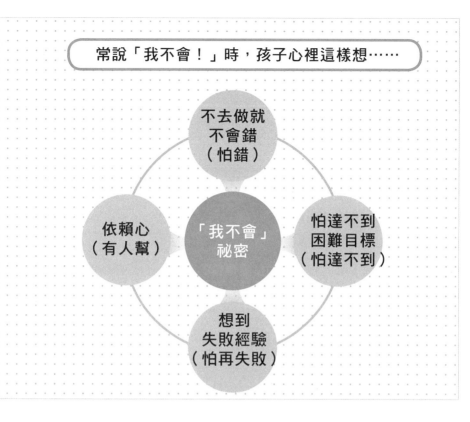

常說「我不會！」時，孩子心裡這樣想……

不去做就
不會錯
（怕錯）

依賴心
（有人幫）

「我不會」
祕密

怕達不到
困難目標
（怕達不到）

想到
失敗經驗
（怕再失敗）

　　到底要如何回應孩子的「我不會」？難道只要說一句：「加油，寶貝，你一定可以！」或者「媽媽相信你。」就過關了嗎？這些話用久了，你就會發現，這對某些孩子、或某些時候並不管用。

　　我試過，如果孩子說「我不會」時，只是想撒嬌，想要你陪他，那麼「加油！」這句話是起不了什麼作用的。又或者，有些年齡稍大的、超過 5 歲以上的孩子，說這句「我不會」時，是在提醒你他覺得「這目標真的太遠了，我是不可能達到的。」如果鼓勵的內容，是孩子達不到的，那麼，鼓勵就沒有效用。

孩子如果總是愛說「我不會」，就沒辦法啟動後續的學習動機，只有讓他卸下心房，才能有進步的空間，也才能讓他張開耳朵、完成溝通。但更重要的是，當他完成你的要求後，不要只是獎勵結果，而是要多多獎勵過程，這才是真正的讚美！

孩子常說「我不會」，父母的說話術

我也不太會，好像有點難

換位思考，要從孩子的角度看事情的難易度，說這句話的目的是要讓他張開耳朵，不讓他一直鬼打牆

我也不是一次就會

在孩子的世界裡，我們就是答案，但如果他認為，原來這個學習的對象，竟然也不是一次就會，他就會比較放心，願意去試試看

一起來研究看看

學習新的事物需要同儕、同伴，因此「一起來研究看看吧！」這句話會讓孩子覺得我們是一組的

沒人規定要全對

孩子常說我不會，是因為他把事情設定在 0 分與 100 分，「因為重視結果所以一定要 100 分」。這句話說出來，可以破解孩子對於 100 分的迷思

缺乏自信心，幼兒及兒童時期行為觀察表

　　我發現很多小學生普遍都沒有自信心，沒自信心的孩子，在團體中的表現會是很沒成就感、社交也不好的那一個。你一定想知道，到底是哪個環節出了問題，才會讓孩子失去自信心？

　　如何知道孩子沒有自信？我整理了幼兒期（3～5歲）、兒童期（5歲以上）的不同表現。

3～5歲這些小行為，是沒自信特徵

1	新的事物不敢勇於嘗試	總是只玩或做比較有把握的事情
2	一點點挫折就哭或生氣	小小挫折就玻璃心碎滿地
3	不敢主動去找人玩	尤其是4、5、6歲的小朋友
4	說話很小聲，不敢表達	只敢說給媽媽聽，在家生龍活虎、在外面像小貓咪
5	用搗蛋的行為吸引大家注意	在團體中是小丑角色、喜歡故意搗蛋
6	逃避比較難的或要思考的問題	只選擇比較簡單的去做
7	比較膽小，總是要大人幫	很依賴爸媽，不敢自己做決定

5 歲以上這些小行為，是沒自信特徵

1	負面思考，擔心很多	事情總是先從負面思考，不敢向前踏出第一步
2	很怕做錯，很怕說錯話	怕做錯、又怕說錯話，所以乾脆不做也不說
3	很被動，學習不主動	什麼事情都要大人在後面督促，連寫功課也一樣
4	都在等人家給答案	即使知道答案，也不敢說出口
5	別人說一步，才會去做一步	總是要大人說好幾遍後，才願意做一些
6	怕輸，怕自己不如人	很怕輸給別人，但又不知道贏的方法
7	常說自己很爛、很沒用	經常可以從他口中說自己很差、很沒用
8	自己不能做決定	凡事都要別人幫他做決定
9	沒有主見，不愛表達	課堂上，不愛表達意見

［ 父母 10 句話，增加孩子自信心 ］

　　孩子「自信心」與「自我認同」的發展黃金期是在 5 歲，這個階段父母一定要好好把握與孩子可溝通。要建立孩子的自

信心，我有一套很有用的親子溝通術，身為父母的你，可以試著讓他自己做決定，從旁給建議或選擇，但不要一下就給答案，否則，他不是不接受，就是成功後也不覺得是自己的功勞，聽起來很難嗎？學會下面幾句話術，對親子間的溝通一定有幫助。

說對 10 句話，讓孩子擁有自信心

1 媽媽來陪你，看看一起做會不會成功

2 我喜歡你的主動

3 你自己決定吧

4 先自己做，不會再來找我

5 沒有人在比賽

6 你可以小聲跟我說

7 我知道你的感覺

8 我會等你，你也要努力

9 沒有人永遠都贏

10 我也不會，但我想試試

三種 NG 教養話語，影響孩子的自信心

鼓勵、安慰與讚美孩子是我們常做的事，聽起來很容易，其實並不簡單。我在這裡列出 3 種 NG 版本給家長們參考：

這些 NG 話語會打擊自信心，千萬別對孩子說

鼓勵	安慰	讚美
NG1 這不會很難	**NG2** 輸了有什麼關係	**NG3** 空洞的讚美，你好棒、你好厲害
▼	▼	▼
如果不幸做了卻有挫折，孩子只會覺得你騙他！	別以為你的「沒關係呀」會讓他好過，其實他會覺得你不了解他	要讚美過程而不是讚美結果，一定要明確說出你哪裡好棒，這個讚美才不會顯得空洞

教養的**真相** → 批評孩子，要針對行為，不要針對品格；讚美孩子，要針對品格，不要針對結果。

2-7 無法自律的孩子 不能管好自己事的真相

是不是總是覺得孩子的生活安排怎麼老是亂糟糟、沒有秩序、沒有計畫、事情做得也零零落落，想幫他，又不知道從何下手？

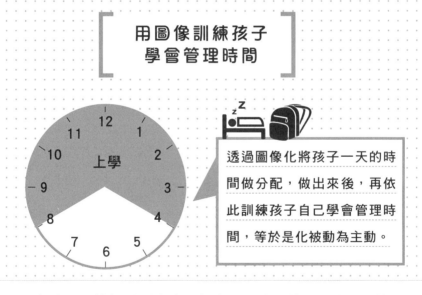

[用圖像訓練孩子
學會管理時間]

上學

透過圖像化將孩子一天的時間做分配，做出來後，再依此訓練孩子自己學會管理時間，等於是化被動為主動。

　　自律是一件很重要的事，教育的目的，就是要讓孩子能獨立、管好自己，並且要為自己負責，而不能靠父母時時刻刻的盯著他、管著他。尤其，孩子是主動還是被動，會決定他未來的成就。不過，看到這裡，相信你也會唉聲嘆氣地說：「我也

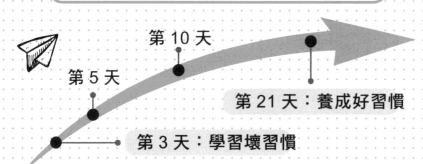

1 個好習慣，需要連續 21 天以上才能養成

第 10 天

第 5 天

第 21 天：養成好習慣

第 3 天：學習壞習慣

想呀！但要他自動自發，怎麼就是那麼難呢？」

有心理學家研究發現，學習一個壞習慣，只需要 3 天就會養成；但培養一個好習慣，需要持續反覆練習 21 天，而且中間要持續、不能間斷才能達成。雖然不簡單，但為了他的將來，21 天並不算太長，是吧！

從小訓練的好處在於，可以讓孩子明確知道目標在哪裡、也能練習將目標與看時鐘的能力結合，趁機提醒孩子記住訂下的規矩，也可讓親子間有更多的互動，想想，何樂而不為呢？

改善教養，用圖像訓練孩子學會管理時間

步驟 1：與孩子訂定每天的時間分配

與孩子一起訂出每天在家的時間，應該要做的事情，好比說，4 ～ 5 點寫功課、7 ～ 8 點要洗澡、10 點前要上床睡覺等。

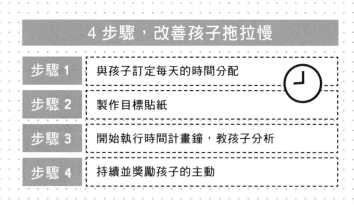

等孩子達到任務時，就把相對應的目標貼紙貼上，記錄自己做過的事情。

步驟2：製作目標貼紙

跟孩子討論所有的目標貼紙，讓他選擇自己喜歡的圖形貼紙，這能加強他的動機。

步驟3：開始執行時間計畫鐘，教孩子分析

每天上床前，先跟孩子討論今天做到了什麼？有哪些是沒有做到或做不好的？例如，今天有主動說要去洗澡，很棒！但你好像忘記今天要主動去寫功課，這樣，今天的時間就少了一格耶，沒關係，明天我們繼續加油！

有些孩子可能沒辦法自己分析有哪些是怎麼做到的、或者為什麼做不到，你可以用引導的方式，循序漸進帶他回想，自己有進步的地方在哪裡。

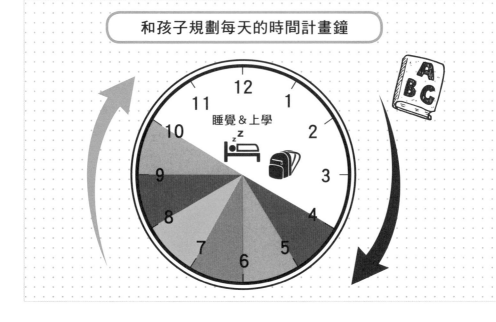

和孩子規劃每天的時間計畫鐘

睡覺 & 上學

步驟 4：持續並獎勵孩子的主動

養成好習慣的週期是 21 天，如果孩子持續不懈的達到要求、有明顯進步時，你可以主動給孩子一些獎勵措施，好比假日帶他去他想去的地方、晚餐後吃點心、陪他玩喜歡的遊戲等，接著，鼓勵孩子，如果以後沒有這張表，是不是也會記得，自己應該要做的那些事情呢？

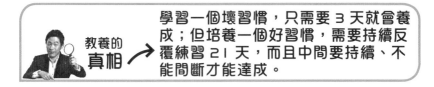

教養的 真相 → 學習一個壞習慣，只需要 3 天就會養成；但培養一個好習慣，需要持續反覆練習 21 天，而且中間要持續、不能間斷才能達成。

PART 3

不專心的真相

3-1　要大人叫很多遍的孩子　專注力從小就出問題

我們總覺得孩子常常故意又被動，且慢！這是你對孩子的生理及心理發展，了解的還不多，一定要學會分析孩子的學習狀態，不然就會陷入無效管教的輪迴。

[聽不到媽媽講話!? 是「不專心」作祟]

為何同樣一句話，都要大人講很多遍？

原因 1（生理）	感官遲鈍，左耳進、右耳出
原因 2（生理）	專注力差，大腦分工合作能力弱
原因 3（心理）	缺乏學習動機，沒有興趣
原因 4（心理）	覺得很煩，不想跟著做
原因 5（心理）	想挑戰，小叛逆是為了證明能獨立

在前面的章節，我們討論過影響學習力的因素有「動機」「時間觀念」，接下來，我們要討論的是另一個因素，也是家長最常問的——「專注力」！

在討論之前，先來看看常見的親子對話：

親子劇場：耳邊風，無效的親子對話

媽媽說 1
回家先去洗手、換衣服，書包放好，然後把功課拿出來，寫完才能玩

媽媽說 2
趕快，先去做該做的事！不要再玩了

媽媽說 3
你還在玩！我剛剛叫你幹嘛？

　　你們家是否也上演過同樣的戲碼呢？媽媽一催再催，孩子就是不動？我們來仔細分析一下剛剛這段親子劇場的對話內容，孩子回到家後，媽媽講的事情總共交代了 5 個訊息。這 5 個訊息要全部透過耳朵傳入大腦，已經不簡單了，況且媽媽說話的同時，環境中還會有不少聲音一起透過耳朵輸入大腦；甚至包括眼睛看到的、鼻子聞到的、手和腳所碰觸到的各種訊息，都會一併進入大腦。孩子的大腦要能將其他不相干的訊息排除掉，只處理媽媽說的話，需要具備多工的處理能力、專注力與注意力。

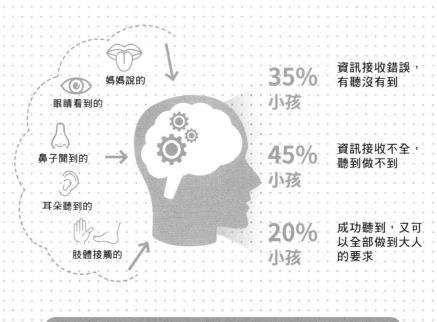

接收指令，孩子的大腦需做多工處理

媽媽說的

眼睛看到的

鼻子聞到的

耳朵聽到的

肢體接觸的

35% 小孩　資訊接收錯誤，有聽沒有到

45% 小孩　資訊接收不全，聽到做不到

20% 小孩　成功聽到，又可以全部做到大人的要求

只有 1/5 的孩子，能專注聽到，還可以把資訊處理好

這種能力是天生的，但後天也能訓練出來

大腦處理完這些訊息後，便要開始行動，過程中若大腦還要分神去處理其他訊息。例如，洗手時發現「哇！媽媽幫我換了神奇寶貝牙刷耶！對了，我的神奇寶貝卡呢？⋯⋯」然後魂可能就飄走了，媽媽交代的事情也都一去不復返了，這意味著孩子的分心，讓他忘了原本該進行的事。

再者，如果孩子看到神奇寶貝牙刷的同時，能夠克制找神奇寶貝的衝動，邊洗手腦袋邊規劃著，「等一下要趕快換衣服、放書包、寫作業，這樣我就來得及看6點的神奇寶貝卡通了！」看看，孩子正在洗手和規劃這兩件事情，媽媽簡單的一句話，其實考驗著孩子的許多專注能力，一旦哪個環節出錯，就可能卡關，媽媽只好一直碎唸。

5 大專注力，影響日常與學習

很多父母，帶孩子來天才領袖評估時，主訴求都是「孩子不專心」。其實，專注力分為 5 大類，每個孩子可能都不一樣。了解注意力 5 大家族裡的成員特性，你才能分辨出，孩子的注意力，到底是哪裡有問題。

不同的注意力出問題，產生的問題也會不同。例如，選擇性注意力和轉移性注意力不好，就會顯著地影響閱讀時的理解能力，而離散性注意力則會影響閱讀的正確度，因此處理孩子的注意力問題，應該要對症下藥，又或者，孩子有離散性注意力問題，就不該只是用增加持續性注意力的方式訓練，那當然看不到效果。

學習 UP，5 大專注力

集中型注意力（focused attention）

- 能集中注意力到正要做的事情上
- 從出生開始發展，持續至青年期

專心在閱讀這件事上

持續型注意力（sustained attention）

- 能持續集中注意力的時間

每次閱讀可以持續的時間長度

選擇型注意力（selective attention）

- 專注眼前的事物，不會被其他干擾分心。
- 從學步期開始發展直到 20 多歲，其中 2 ～ 7 歲是發展最快速的時期

專注閱讀，不被其他事干擾

轉移型注意力（alternating attention）

- 不同活動中來回轉換其注意力，這表示注意力不但有選擇性，也具有轉移性
- 從嬰兒時期（大約 4 個月左右）就開始發展，隨著年紀增長愈來愈純熟

閱讀到一半被打斷後，是否能繼續閱讀

離散型注意力（distributed attention）

- 能同時注意兩個或兩個以上的事物，不受干擾
- 隨著年齡增長，學齡階段發展會較為快速

能一邊讀，又能一邊注意限制的時間到了沒

不同年齡兒童專注時間大不同

2 歲	3 歲	4 歲	5～6 歲	7 歲以上

7 分鐘	9～12 分鐘	12～15 分鐘	15～30 分鐘	40 分鐘以上

教養的 真相 → 與其不斷要孩子坐下來從事靜態活動，不如從小訓練心智與大腦，培養專注力！

3-2 3 分鐘熱度的孩子
為何孩子不能專心玩很久？

每每在媽媽教室的現場，都會有家長問我，「老師，我的孩子每個玩具都玩一下就不玩，只有 3 分鐘熱度」「老師，我的孩子很好動靜不下來，整天爬上爬下」「老師，我的孩子帶出去就像脫韁的野馬，衝來衝去」，都是擔心孩子會不會就是過動兒，一問之下，孩子可能才 1、2 歲或 2、3 歲，甚至不到 1 歲。

3 分鐘熱度的遊戲行為，是正常的嗎？

我曾經在捷運站，親眼目睹一個應該不到 2 歲的孩子，被媽媽帶去角落打手。聽到媽媽邊打邊跟孩子說：「我是不是叫你不要亂跑？為什麼整路一直在東摸西碰？跟你說在外面別人的東西就是不能摸，為什麼都講不聽？」當下我深深覺得，父母如果不懂孩子的發展，只急著把行為教好，可能會用很多不對的方法引導孩子，反而增加親子間的摩擦。

阿諾德・格塞爾（Arnold Lucius Gesell）博士是美國的心理學家和兒科醫生，也是兒童發展研究領域的先驅。他和他的研究團隊曾經做過一項研究，觀察不同年紀的孩子，在遊戲室中玩 7 分鐘的表現。

遊戲室裡的玩具擺設

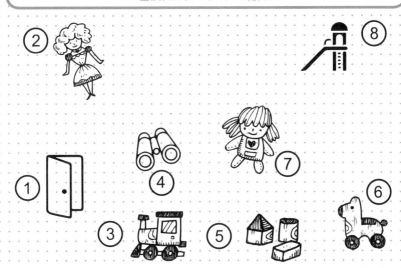

說明 接下來會以擺設旁邊的數字來代表該設施

1 歲 6 個月的遊樂動線

18 個月大

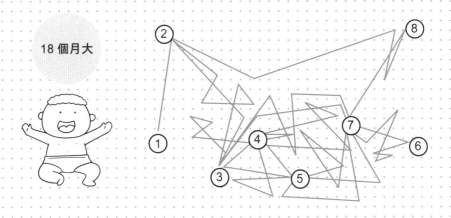

說明 1 歲半小孩，每個設施都會來來回回的玩。短短 7 分鐘，每個玩具都碰過！

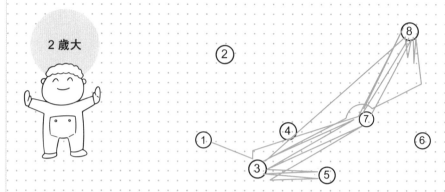

2 歲的遊樂動線

說明 2 歲小孩，行動前會思考一下，要不要去玩這個玩具，但還是有些衝動行事。可以發現孩子的動線是快到玩具那裡時，又覺得不想要而折返。體能類的活動是真愛，這個年齡的孩子活動量需求大。

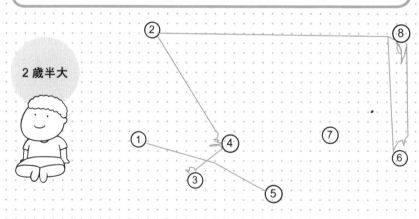

2 歲半的遊樂動線

說明 2 歲半小孩，孩子的剎車系統更好了，玩單一玩具的時間也拉長了。對玩具的特定玩法感到無趣，開始玩想像或角色扮演遊戲，這代表著孩子的認知成長了。

3 歲的遊樂動線

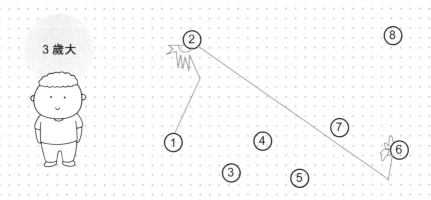

說明　3 歲的孩子，喜愛想像、創造，且樂此不疲。

4 歲的遊樂動線

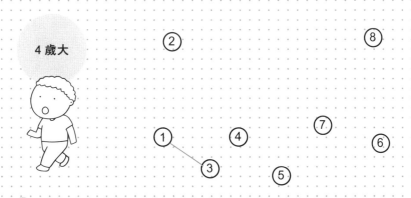

說明　4 歲小孩，孩子已具有不錯的思考力與決策能力；遊戲的發展也會開始偏向建構、或有規則的遊戲，可以持續玩特定玩具、設施。

孩子的注意力持續，
該有多久呢？

　　多大年紀該有多長的注意力，並沒有一個相當精準的數值，有些國外學者會用年齡乘以 2 和乘以 5，當作該年齡的注意力時間的範圍以 5 歲的孩子為例，注意力可能要有 10 ～ 25 分鐘長度。也有心理學家提出年齡加 2 為該年齡孩子平均持續性注意力時間，再以 5 歲孩子為例，就是 5 ～ 7 分鐘。這之間差距很大，所以臨床上，會**以孩子的活動表現判斷注意力問題，而不是僅依照時間來定論**。

　　根據國內外的資料，及我的臨床經驗，改良版的注意力持續時間，5 歲孩子玩遊戲應該可以持續 15 ～ 30 分鐘才足夠；而 7 歲以上的學童，40 分鐘的專注力，是很基本的標準。

教養的
真相 → 避免 3 分鐘熱度：0 ～ 3 歲，要保持他的樂趣；4 ～ 6 歲，要讓他做喜歡的事！

6 個月～ 12 歲的孩子，專注力培養要點

6～12 個月	・容易分心，喝個奶，旁邊有人走過都會被影響 ・長度：大約 1 分鐘
12～18 個月	・整天忙個不停，一點風吹草動就容易分心 ・長度：大約 2 ～ 3 分鐘
18～24 個月	・有動機即可延長專注力 ・當他發現沒有誘因或不好玩時，就會立刻感到無聊
2～3歲	・很愛探索，像脫韁野馬，要幫助他們學習放慢速度、冷靜及專注 ・長度：可以專注一個活動 15 分鐘甚至超過
3 歲	・從他有興趣的活動開始培養專注力，環境盡量減少干擾源 ・獨自從事一件有興趣的活動，持續 6 ～ 8 分鐘
4 歲	・獨自活動時，注意力可以持續到 15 分鐘左右 ・小團體一起活動時，也能持續專注 7 ～ 8 分鐘 ・大人指派的活動（較無興趣的），也都能有 4 ～ 5 分鐘的專注力 ・對於沒興趣的活動很難專心，參與的動機也會明顯下降
5 歲	・對於很多小干擾已能忽略，小團體一起進行活動，能保持專注至少 10 ～ 25 分鐘 ・大人指派的活動，也能有 5 ～ 6 分鐘的持續型注意力 ・專注力深受興趣的影響，對較沒興趣的活動也已經開始學會如何保持專注
8 歲以上	・孩子的注意力與大人沒有顯著的差異

3-3 很好動的孩子 到底是不是過動兒?

「我看孩子班上同學上課都很留意老師在說什麼,我家小孩卻經常左顧右盼、有時還會跑來跑去……。」「好奇怪,為什麼孩子整天動個不停,玩具玩不到 5 分鐘就要換,連吃飯也坐不住?」

[**很好動的小孩,
到底是不是過動兒?**]

你有沒有上述困擾?是不是也曾經懷疑過,家裡超級好動的調皮孩子是不是太過動了?甚至上網搜尋,多半也是查到「男生比較皮、靜不下來」「年紀小的孩子,活動量本來就大!」等似是而非的回答。

到底有沒有辦法及早知道我的孩子是不是過動兒?不然,還真怕等到 5 ~ 6 歲之後再診斷,會因此錯過治療黃金期。

這幾年,確實有許多小一、小二的父母來找我求助,說自己的孩子在班上有嚴重的學習問題與社交衝突,甚至常被班上其他家長抗議,後來才發現原來孩子是過動兒。

注意力不集中，常見的行為特質

不容易專注於一個活動

很難專心或持續聆聽一段時間

常常出現感到無聊的反應

常常沒聽到，指令總是要
給好幾遍

就算有聽見，但對於指令或
訊息的處理整合仍有小困難

只有辦法專注在特定高度興趣
的玩具或活動上

好動不等於過動，孩子坐立難安就是過動傾向？

經常出現這些行為，可能是過動徵兆！

身上總是像有蟲，扭來扭去，煩躁、靜不下來

很難持續坐下來一段時間，從事較靜態活動

不太喜歡休息，好像都不會累。即便坐著，也是靜不下

停不下來，過度製造噪音

跳上跳下、衝來衝去，危險的意識很低

活動量需求，比一般同齡的孩子大很多

在臨床上常發現，有些注意力缺損過動（ADHD）的孩子，在幼兒園階段前，一直被當成調皮，就這樣錯過早期療育的黃金時期；等到上小學後，發現孩子學習不專心，被老師、同學、甚至同學家長貼標籤，出現負向的情緒反彈，才發現情況愈來愈嚴重！

雖然說，大多數處於 2 ～ 3 歲間幼兒時期的孩子，的確很難專心玩，但 ADHD 的孩子，行為表徵仍然有些不一樣。美國國家衛生研究院（NIH）曾指出，如果 2 ～ 3 歲的孩子就出現 ADHD 的特徵，這些狀況就可能從幼兒時期一直影響到青少年或成人，如果能早期辨識注意力缺損的症狀，早期進行療育，對未來的影響也就會愈小。

ADHD 的 3 大核心症狀就是「分心」「過動」與「衝動」。不過，由於孩子在 4 歲前，各方面的發展都正快速進行，行為變化很快，因此很難將他們的行為具體描述列入 ADHD 的診斷標準（DSM-V）之中。

但還是有些地方可以判斷，好比說，即使孩子的注意力短暫、衝動、易發脾氣、活動量大，那些沒有 ADHD 危險因子的孩子，在適當的時候還是能夠靜下來聽聽故事或看看繪本，也比較可以坐得住，玩玩拼圖或把玩具收拾好；相較之下，如果是有 ADHD 危險因子的孩子，就沒辦法專心或靜下心來完成一件事，反而經常會表現出極端的行為，包括破壞活動或社交關係等。

衝動性高的孩子，
會合併很多行為問題

孩子常有不能控制自己的行為，父母要提高警覺

和同儕一起遊戲時，總是拒絕輪流等待

聽話顯得不耐煩，常沒聽完就直接先做了

別人說話時，老是忍不住插嘴

情緒容易爆發，而且來得很強烈

經常在不恰當的時間點，急著說出自己想說的話

經常沒有事先詢問，就直接闖入別人正在進行的遊戲

雖然孩子還小時，會在沒有經歷過或不曾被教導的情況下，出現一些過份的衝動行為，但如果已經教過好幾次，且與同儕比起來，類似行為既頻繁又嚴重，而且持續 6 個月以上，又同時在家裡或學校出現時，媽媽就得小心留意他是否為 ADHD 的孩子。

當你懷疑孩子有 ADHD 的可能時，除了可以找兒童心智科診斷，也要尋求兒童發展的相關專業介入或諮詢。放心，許多文獻都顯示，透過運動、行為等的早期介入，就能夠有效改善 ADHD，當然，這還需要老師與家長的幫忙才行。

美國兒童和青少年精神醫學會（AACAP）在 2007 年，以及美國兒科醫學會（AAP）在 2011 年都提出建議：對於學齡前 ADHD 兒童，第一線處理一定是「師長」與「家長」的行為介入，等到 8 週完全無效後，才要考慮藥物治療。使用藥物要經過非常謹慎的評估，而且，應該以訓練的方式為優先，教孩子自我控制行為，及分析自己的狀態，才是最有效的治本方法。

空氣汙染、環境汙染，會造成孩子過動

家長不知道有沒有發現，好像現在有 ADHD 症狀的孩子比過去多？這是真的！近幾年空氣汙染、環境汙染嚴重影響孩子的腦部發育。2013 年紐曼（Newman）等人發表於「環境健康觀點」（Environmental Health Perspectives）的研究指出，在出生的第一年接觸較多交通及相關空汙的嬰兒，其 7 歲時有過動的情形也會比較高；又或，2017 年阿德斯 A（Adesman A）

等人的研究發現，瓶餵的寶寶比親餵的寶寶，到了學齡前更容易有 ADHD 的問題，比較時空背景後發現，原因可能出現在雙酚 A 奶瓶。

這些研究顯現了一個事實，環境與空汙、甚至食物都令

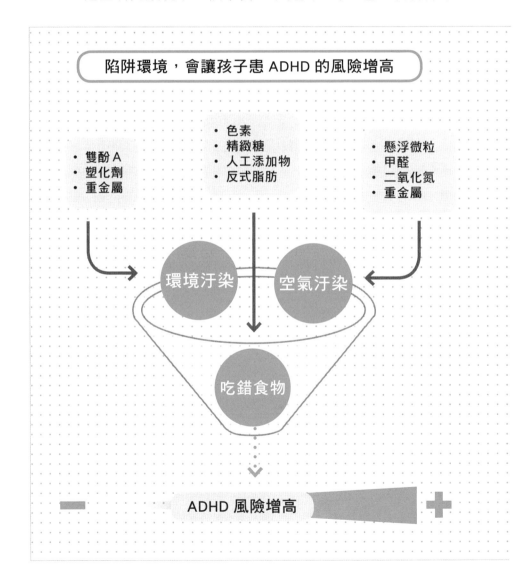

陷阱環境，會讓孩子患 ADHD 的風險增高

• 雙酚 A
• 塑化劑
• 重金屬

• 色素
• 精緻糖
• 人工添加物
• 反式脂肪

• 懸浮微粒
• 甲醛
• 二氧化氮
• 重金屬

環境汙染　空氣汙染

吃錯食物

ADHD 風險增高

ADHD 的孩子有增加的現象，並不是有些家長或長輩認為「孩子有問題，就是媽媽教不好⋯⋯」或「一定是小時候太寵，沒有兇沒有打，才會變成過動兒。」這都是不正確的觀念。

過動不是品行問題，療育可以調整大腦功能

　　我常跟很多家長與老師釐清幾件事，首先，過動是一種症狀、不是品行問題；再者，過動是可以透過行為的教育及療育，降低團體中的行為問題；最後，過動兒對周遭人如何看待他們，內心也是很敏感的。我們當然需要理解老師帶這群孩子的辛苦；但是這群孩子的活動量高，坐不住又常分心與干擾，仔細想想，難道是他們所願？我想也非教養者所願吧！

　　相關研究認為，過動兒主要是由於大腦控制的能力薄弱，因而造成在衝動控制、工作記憶、語言社交、專注力甚至是行為出現問題，讓孩子常常狀況外。因此教導這樣的孩子時需要更多耐心，強勢處理，只會造成孩子更大的反彈，產生其他學習問題。

　　記得多年前，我曾經治療過一個過動的小男生，在互動過程中，孩子竟然哭著向我求救，說大家都覺得他是壞孩子，聯絡簿每天都是滿滿的紅字，可是他真的不是故意的，他可不可以不要去上學？可見

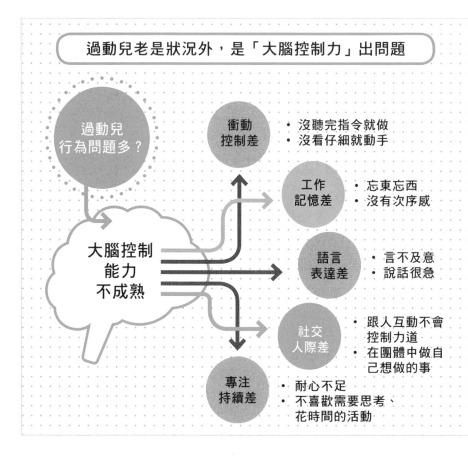

孩子在他的環境中遇到多麼大的挫折，有時甚至讓他們放棄了學習！

　　我想解決之道，還是要讓家長學習多一點教養的方法，以及讓老師能更輕鬆的經營他們的班級，以下提出家庭篇與教室篇的過動孩子策略：

過動兒家長教養攻略

1	保持冷靜,不隨孩子的情緒起舞
2	說得再多,不如直接做給他看
3	事先訂好規則確定孩子有聽到
4	利用碼表或鬧鈴,提醒孩子時間快到了
5	賞罰分明,讓孩子知道具體目標
6	針對孩子行為處罰,不批評人格,如,壞孩子
7	少吃甜食及油炸食物,甜果汁也減少
8	讓孩子寫功課前(或需要持續專心的學習前),先身體動一動
9	觀察孩子眼神,不專心了,就讓他休息暫停
10	找出孩子學習的強項,並加以讚美
11	設定可以達得到的目標
12	每天 5 分鐘,給予關懷語言

過動兒教師教學攻略

1	使用簡短明確的指導語，請孩子複誦，並記得跟他眼神對視
2	將孩子分組，激發孩子的榮譽心
3	使用集點代幣制度，引導他記下好及不好的行為
4	有時讓孩子設定自己的完成目標
5	提醒孩子，下課去講話、去活動，上課就要控制
6	處罰孩子可以用「勞動服務」
7	引導孩子調整自己的動作及說話速度
8	觀察孩子的優點，在班級其他同學面前公開讚美他
9	與人發生衝突時，對事不對人的處理
10	放學時，跟孩子分析今天好的行為，希望明天更好
11	放學時，跟孩子分析今天表現不好的地方，相信明天會改變
12	利用三明治話術鼓勵：「你上次有做到，但這次又忘記了，雖然被扣點處罰，我仍相信你下次會進步！」

孩子有過動症狀，不能只用權威教！

教養過動兒，互動 3 守則

1 維繫親子正向關係

2 增加獎賞

3 減少負向懲罰

　　學齡前 ADHD 兒童第一線的處理方式是行為介入，父母行為介入的目標是要增加親子間的正向關係，增加獎賞，減少負向懲罰。所以當孩子有類似症狀時，千萬不要只想更嚴厲的管教，這只會令孩子與你更對立反抗、親子關係更緊張，反而讓自己的壓力更大。一定要尋求專業，改變教養態度，利用行為策略改變孩子的症狀才行。

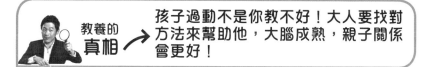

教養的**真相** → 孩子過動不是你教不好！大人要找對方法來幫助他，大腦成熟，親子關係會更好！

3-4 作息及飲食不規律的孩子 過動的機率會大增

「王老師，我兒子總是蹦蹦跳跳的，停不下來！好像永遠精力旺盛，就像勁量電池一樣，每天晚上都弄到很晚才睡……，我好擔心，他會不會是過動兒啊？」評估時，我常聽到家長反應有些男孩，每天都衝來衝去、電力永遠放不完，也帶他出去活動了，但就是不累，到底是活潑還是過動？總是讓很多父母搞不懂。

> ## 作息不規律，
> ## 孩子過動機率會提高

規律作息，幫助孩子大腦發展

規律睡眠 ＋ 均衡飲食 ➡ 幫助大腦發展自控力 ➡ 降低衝動分心行為

每個孩子氣質不同，天生活動量也不一樣，但如果沒有自小就引導好動的小朋友建立規律性，日後發展成過動的機率就大，還可能影響日後的「社會人際」「情緒管理」「專注力」與「學習效率」。

　　有研究發現，學齡前若孩子的睡眠不規律、飲食習慣沒建立好，該吃飯的時候不吃、該睡覺時也不睡，這群孩子得到過動症的機率，比有建立規律性的孩子來得高。我常看到許多大孩子靜不下來的原因，是因為父母沒有在孩子小時候，就幫他建立起規律的作息。孩子若不睡就讓他晚睡，早上又晚起跟著大人吃早午餐，作息當然紊亂。

　　據統計，過動症孩子比例約 5 ～ 8%，等於 30 人的班級裡，大約會有 2 ～ 3 個孩子有過動現象。大人常分不清楚孩子是過動或好動，只要覺得不能專心、東摸西摸、課堂上走來走去，就是過動。實際上卻不是這樣的，有些孩子雖然不能適應學校生活，但在家裡或其他團體中，行為卻很穩定，這類孩子通常是適應問題；而真正過動的孩子，無論在學校、家裡或其他團體中的表現都很雷同，靜不下來、控制力差、專注力不集中，可以明顯發現其中的一致性。

錯誤的教養，加重孩子專注力及過動問題

　　每一年的寒暑假過完，就是我最擔心的時候，因為桌上會堆滿許多要來評估「注意力不良」的孩子資料，有些是被老師

點名帶來評估，有些是媽媽盯功課盯到每天發飆，而有些是每天看著滿江紅的聯絡簿，總是提心吊膽的面對學校的溝通事項。

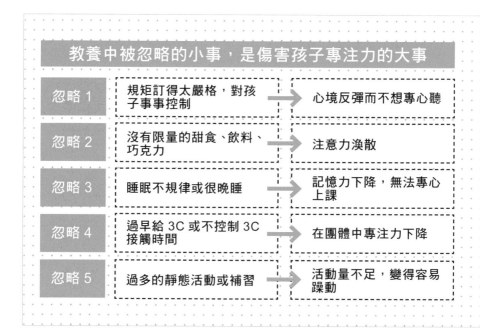

過度控制的大人，會讓孩子專注力下降

仔細想想，你都怎麼請孩子收玩具的？你會把收玩具變成遊戲，讓孩子開心完成？還是勸導？還是命令？甚至是強制呢？又或者當你花錢買了拼圖，想好好培養孩子，結果孩子卻把拼圖拿來炒菜，你會怎麼做呢？

2008 年刊登在《嬰幼兒發展》（*Infant Child Development*）的研究發現，孩子遊戲的時候，你愈多指導、愈多限制，會削減幼兒的專注力發展。比較好的方式是，孩子在遊戲時，你可

以先觀察、尊重他每一個「專注」的時刻，這就是培養孩子的專注力。

孩子只有在不知道怎麼玩，才需要大人給予一些想法引發興趣，然後再逐漸退出觀察。最重要的是，這中間的過程要愉快，研究也發現，幼兒負向的情緒會抹煞專注力，而媽媽的讚美卻能正向影響專注力的發展，因此大人的陪伴也要有技巧。

所以，上面的例子，看到孩子把拼圖拿來炒菜，也許你可以再有耐心些，觀察一下，然後融入孩子的情境：「原來拼圖可以拿來炒菜呀！你炒好了嗎？等一下我們可以一起擺在盤子上唷！」

沒有限量的零食，孩子容易注意力渙散

如果孩子平常有吃零食、喝飲料的習慣，就要注意了！甜食會讓血糖起伏大、情緒不穩定，也會變得躁動。如果零食的成分多是精製糖，還含有色素，以及加了一些看不懂的食品添加物，更會讓孩子注意力不集中，甚至可能還會誘發過敏。

巧克力也一樣，市售兒童常吃的巧克力大多含有大量的糖，有些甚至還有色素，除了糖的問題，還有咖啡因，咖啡因也與孩子躁動不安有很大的關係，吃多了會累積在身體裡，又

造成不專心的地雷食物	
精緻加工食物	糖果、蛋糕、冰淇淋、色素餅乾
地雷飲料	含糖果汁、奶茶、紅茶、可樂、汽水、巧克力飲品
油炸食物	炸雞、薯條、洋芋片、泡麵

糖和咖啡因，吃多了會傷害孩子的大腦和健康

含糖食物↑

讓血糖起伏大、情緒不穩定，也會變得躁動

含咖啡因食物↑

巧克力含咖啡因，累積在體內，代謝差，會產生易怒、躁動、失眠與心悸的問題

因為代謝差，孩子會產生易怒、躁動、失眠與心悸的問題，嚴重一點，腸胃原本差的孩子，還可能有消化性潰瘍的問題。

不要以為一天吃兩顆糖沒關係，其實只要一天兩顆牛奶糖，就是過量。最好不要在孩子下課時，用零食如餅乾糖果類當作點心，這可是最傷腦、也最傷健康的壞習慣。

作息不規律，學齡後專注力很差

2007 年，加拿大的長期研究發現，3 歲半以下的孩子每晚至少應睡滿 10 個小時，對幼兒的整體發展較好。更多的研究證實，睡太少或睡眠品質不佳，會造成孩子的情緒失控、注意力下降、攻擊行為、過動傾向、焦慮不安、學習低落、記憶力喪失和免疫力下降等。

睡眠不足對孩子的 8 大影響

睡眠長度不足↓
睡眠品質差↓
作息不規律↓

❶ 情緒失控↑
❷ 注意力下降↑
❸ 攻擊行為↑
❹ 過動傾向↑
❺ 焦慮不安↑
❻ 學習低落↑
❼ 記憶力喪失↑
❽ 免疫力下降↑

　　2013 年英國大型前瞻性研究發現，孩子的睡眠也有關鍵期，3 歲時沒有規律就寢時間的孩童，在 7 歲時認知表現分數低的比例較高，尤其女孩比男孩影響大，這個研究觀察的認知指標，表現包括了閱讀能力、數學能力和空間技巧等。

　　2015 年日本更進一步去研究探討，孩子在 2 歲時的上床及起床時間點／規律性，與 8 歲時專注力和破壞、干擾別人行為，非常有關聯。

　　這無疑是一項認同睡眠也有關鍵期的研究，大人不僅要關注兒童睡眠狀況的量和品質，更需要注意「早睡早起」以及「建立規律性」，規律性和我們生物體本身的生理時鐘有相當大的關聯，而且睡眠不足會影響大腦的可塑性。近年來，也有許多研究發現，有睡眠障礙的孩子，ADHD 的可能比例也較高，而

2 歲上床時間與 8 歲專注力關聯

 2 歲　　　 8 歲　　

· 11 點才睡
· 睡眠時間不規律

 · 行為問題多
· 注意力問題高出 1.62 倍,破壞
  或干擾他人行為高出 1.81 倍

· 9 點入睡
· 睡眠時間規律

 行為問題少

2 歲起床時間與 8 歲專注力關聯

2 歲　　　8 歲

· 9 點後起床
· 起床時間不規律

 · 行為問題多
· 破壞或干擾他人行為高出
  1.52 倍

· 7 點起床
· 起床時間規律

 行為問題少

ADHD 的孩子,也普遍有睡眠需求少、不易入睡的問題。

過多或不控制 3C 接觸時間,孩子團體社交力差

過去有不少研究認為,電視、手機等多媒體會損害孩子的認知、語言社交情緒發展。例如,美國俄亥俄州州立大學娜莎森(Nathanson)教授等人在 2013 及 2014 年的研究也證實,

過小開始接觸電視多媒體、一天看電視的時間累積較長、節目內容不佳等因素，都會影響學齡前孩子的執行功能（包括衝動控制、自我調節和變通能力）和心智解讀能力。

　　執行功能，可以說是注意力的功能延伸與拓展；而心智解讀，指的是了解他人想法與感受的能力，若欠缺，孩子表現出來就是比較自我、白目和感覺搞不清楚狀況，通常泛自閉症、ADHD 孩子，都有心智解讀能力不足的問題，表現出來的行為也常被他人認為是不專心。

　　因此美國兒科醫學會早在 2011 年就已建議 2 歲以下兒童不宜看電視等多媒體，而 2 ～ 5 歲，每日看電視的時間不宜超過 1 小時，除了節目內容應為高品質外，父母有沒有陪伴觀看也很重要。總之，不要讓電子產品成為保母，觀賞節目的同時也有良好的親子互動，才能發揮教育節目的最大效益。

過多的平板，傷害「認知、語言、社交、情緒」發展

傷害執行功能

衝動控制變差↓
自我情緒調節↓
舉一反三能力↓

過量的螢幕學習

降低心智解讀能力

理解他人行為及企圖↓
感同身受能力↓
察言觀色能力↓

太多靜態活動，孩子反而躁動

　　為什麼有些孩子就是坐不住、沒辦法專心？有時候，是跟孩子動得不夠，很有關係！有研究發現，3～6 歲的孩子，**每天至少要運動 1 個小時以上才夠，否則會影響到他日後的專注力發展。**

　　在 2015 年，曾有一組對照研究發現，學齡期女生如果每天都能運動 70～300 分鐘，數學成績跟閱讀成績，比起沒有每天運動的女生還要高出許多。不但如此，也有些研究發現，增加身體的活動量可以讓教學雙贏，只要每天都有運動，學業成績可提升 20%。

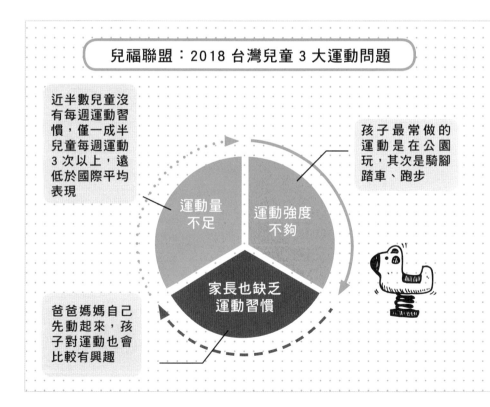

兒福聯盟：2018 台灣兒童 3 大運動問題

近半數兒童沒有每週運動習慣，僅一成半兒童每週運動 3 次以上，遠低於國際平均表現

孩子最常做的運動是在公園玩，其次是騎腳踏車、跑步

運動量不足

運動強度不夠

家長也缺乏運動習慣

爸爸媽媽自己先動起來，孩子對運動也會比較有興趣

如果動不夠，最常見的就是孩子容易發呆恍神、注意力不集中，開機時間要很長，早上匆匆忙忙上學，等到孩子開好機都已經快中午，難怪學習效率不好。

當然還有另一類孩子，從小活動量就超大，爸媽覺得孩子怎麼樣動，好像就是動不夠、靜不下來，所以很積極的帶孩子學畫畫、學音樂、學棋藝等，結果經常適得其反，孩子還是坐不住，反而把不足夠的活動量，轉為破壞或暴力行為。

其實這是因為動錯了，當然靜不下來，你可以仔細觀察這類孩子的活動，大多是跑跑停停暴衝型的活動，但研究發現，對於過動、專注力不足的孩子，該做的是持續性的中高強度活動，如果是架構嚴謹的（如體操、舞蹈、武術），或者是體力與腦力兼備的（桌球、足球、籃球……等球類活動）會更好。

6 招，訓練孩子專注不好動

1	早自習前先讓孩子動一動
2	下課時間給予充分運動的機會
3	讓孩子戴手錶，更有時間觀念
4	給予小老師的角色，讓孩子建立正向的形象
5	作業內容的量分段調整
6	在書包上貼上檢核表，避免回家時漏東漏西

教養的真相 → 動不夠就會靜不下，壓抑孩子活動，他會變得更好動。

3-5 不專心的孩子
父母必學 MAV 專注力訓練法

不知道家長有沒有發現，2、3 歲的小朋友玩遊戲不是 3 分鐘熱度，就是這邊碰一下那邊摸一下，很難專心？有時候旁人會說：「唉呀，孩子還小嘛！當然不懂，長大以後就會好了啦！」這話到底該不該信？

視覺、聽覺、動覺失調，造成孩子不專注

孩子不專心，父母從小要關心

1	不專心吃飯
2	不專心坐好
3	不專心學習
4	不專心聽媽媽說
5	不專心寫功課

其實專注力是需要訓練的，訓練的時機甚至可以提早從 2、3 歲就開始。有研究指出，3 歲之前被發現專注力不好的孩子，

到了 4、5 歲進入幼兒園時，與團體融合就會出現問題，可能是老師講課他在神遊、看課本寫字時老是漏字漏行或跳行等狀況會陸續發生。

所以，如果孩子從小就有「不專心吃飯」「不專心坐好」「不專心學習」「不專心聽媽媽說」「不專心寫功課」等情形時，爸媽必須更加注意才是。

小小孩看世界的角度都是從好奇心出發，在他們的眼裡，每件事情都很新鮮，所以喜歡這邊碰碰、那邊摸摸，但當遇到感興趣的事，父母如果可以提早訓練、正確引導，就算是 2、3 歲的小孩，也能很專注。

專注力不足，
常引發學習障礙

9 點，教你觀察孩子有沒有專心學習

1 同一件事要大人講很多遍

2 像毛毛蟲一樣動個不停

3 常被老師反應要提醒

4 每個活動都持續不了幾分鐘

5 容易發呆恍神

6 沒有耐心，不愛思考

7 上課不專心

8 做事情容易被不相關其他事所吸引

9 叫他好像都沒有在聽

從兒童發展理論來看，專注力與視覺、聽覺、動覺都有關係，我看過很多孩子，無論是在家裡或在學校，如果跟他一對一說話或給指令，都沒問題，但只要一踏進團體中，就會聽不到、看不到老師的指令與教導，於是，學習上就常出現「東西找不到」「寫字漏字漏行」「字不是少了一撇就是一劃」等的評語。

回到家，同樣也不能乖乖坐著寫功課，不能好好的靜下來讀書，或者每種遊戲都只玩一半就不玩了……，這些都是視覺專注力的問題。以最常用來訓練專注力的拼圖遊戲為例，如果小小孩的視覺專注力不好，對於需要用眼睛看、要花費比較多時間的拼圖、積木等小遊戲，可能就會玩不好，甚至根本不想嘗試。

這些孩子的症狀大多是：「說話好像都沒在聽ㄟ」，或者是「常常不回應」，不點頭也不回答，必須要說好幾遍後，他才說一句「聽到了……」。別以為這是聽力不好，這就是所謂的聽覺專注力不良所造成的。

快速提升專注力，MAV 感官訓練法

MAV 是什麼？簡單來說就是訓練孩子的動覺（motor）、聽覺（auditory）、視覺（visual）。

動覺專注力的訓練，其實就隱藏在上面兩個遊戲當中，只要一直活動、一直疊積木、找字母，就能達到很好的訓練。想想看，只要每天玩 5 分鐘，就能訓練孩子的專注力，是不是一點都不難？

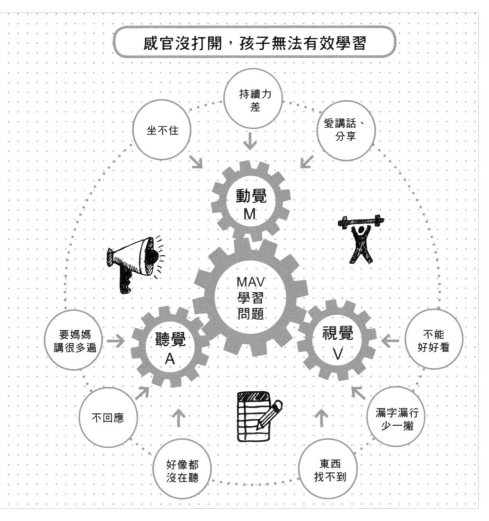

感官沒打開，孩子無法有效學習

此外，動覺跟運動也很有關係。有九成以上被認為是「專注力不足」的孩子，其實都是運動量不夠，尤其生長在都會區的孩子更是嚴重。大量活動可以促進血液循環，只要能讓孩子釋放出四成的身體能量，大腦就能得到 25% 的血液，這對負責處理長期記憶的大腦皮層來說特別重要。

聽覺遊戲就可以利用有顏色的積木來進行，好比說，有黃

色、綠色、橘色、藍色與紅色積木，媽媽說出要孩子聽從指令，依次找出不同顏色的積木。有時候，孩子會在指令沒結束前就急著找，這時可說：「你要忍住唷，我要考 3 個，聽好唷，聽好才能開始。」先訂出遊戲規則，再下指令，就能訓練聽覺專注力。若是大孩子，可以把速度加快，或一直更換顏色指令。

想培養孩子的視覺專注力，家中常見的積木與撲克牌，是和孩子遊戲、互動的好輔具。譬如，讓孩子學著大人仿搭積木塔；又或是取出 4 ～ 6 張撲克牌，蓋在桌面上讓孩子記憶位子

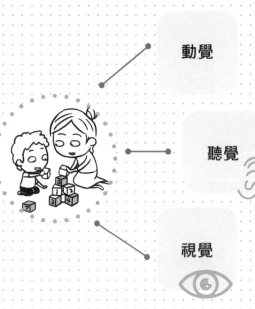

M- 動覺、A- 聽覺、V 視覺，專注力感官訓練法

動覺
- 快速堆高 9 塊積木不倒
- 腳踢球繞三角錐及過 S 彎道
- 左右手交替拍球或雙手拍 2 球前進

聽覺
- 聽一段 1 分鐘小故事，孩子記住並說出來

視覺
- 快速跟著蓋一樣的積木
- 讓孩子記憶 4 ～ 6 張牌，蓋起來請他猜
- 模仿畫抽象的幾何圖形

與猜牌卡上的數字。除此之外，讓孩子學習仿畫抽象的幾何圖形，也能讓孩子仔細觀察、辨識形狀差異。

教養的
真相 → 學齡前的不專心不處理，小學後就會嚴重干擾學習力。

3-6 不按照規定做的孩子 為何老在狀況外？

我常聽到媽媽抱怨，小朋友每次玩拼圖時，剛開始都很認真，但拼個 2、3 片後，就開始沒耐性。總是把拼圖全丟在桶子裡，有時假裝炒菜、有時拿來亂丟。這時候大人通常都會忍不住下指導棋，直接說：「不對啦！拼圖不是這樣玩的……，媽媽教你……」

> ## 不按照玩法玩的小孩，
> ## 是不專心？還是有創意？

　　媽媽都希望孩子玩玩具時，能照著傳統玩法來玩，甚至希望他能「在玩下一個玩具前，先把前一個玩具收好。」這很合理，只不過說這句話時，得更有技巧才行！否則反而容易讓他更不想玩、影響專注力。

不按規矩玩，孩子正在發揮創造力

　　你希望孩子照著遊戲規矩玩，但他多半不會理你的，就像拼圖遊戲，媽媽想藉此訓練孩子的專注力，卻發現他只有 3 分鐘熱度，這時就開始擔心「是不是因為不專心啊！」然後又強

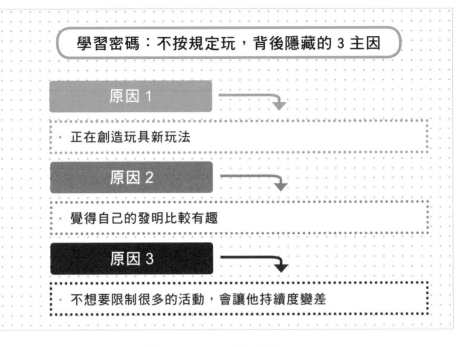

學習密碼：不按規定玩，背後隱藏的 3 主因

原因 1

正在創造玩具新玩法

原因 2

覺得自己的發明比較有趣

原因 3

不想要限制很多的活動，會讓他持續度變差

迫他繼續玩，但這樣卻會讓他更排斥拼圖。

其實換個角度想，孩子利用拼圖來玩家家酒遊戲，也表示他很有創造力，你應該要高興才對；如果原本就沒心想繼續玩下去，卻因為有了不同的玩法而責備他，到最後只會兩敗俱傷，一來父母生氣、二來孩子也不玩了甚至大哭。

我常說在陪孩子互動的過程中，限制太多，對他專注力的培養影響更大。所以，當你希望孩子繼續玩下去時，可以換個方式：先陪他玩炒菜，接著再引導將拼圖放到正確位置，好比說：「它（拼圖）好想回家了，它家在哪呢？」就可直接放在拼圖位置上了。

有時候，孩子會因為過度興奮，很暴力的亂丟、亂發脾氣甚至亂推人，這時就需要暫停。你可以說：「寶貝，你這樣它（拼圖）很不舒服耶，它好想回家唷！」

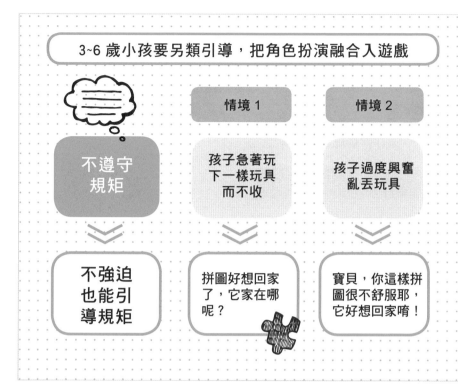

當孩子不按規定，大人要讓活動變有趣

　　大人們經常忙著處理孩子表面的不專心，卻往往忽略探究他想說的是什麼？眼裡看到的又是什麼？有時只要解決他迫切的難處，就有辦法引導他進入你想要的目的。

　　偶爾用其他玩法來吸引孩子繼續玩的欲望，再用引導方式慢慢拉到正確的玩法上，就有辦法讓他變得很專心，千萬不要給太多限制，否則只會侷限創造力。有時候，也可以讓爸爸陪玩，訓練孩子控制衝動的能力。例如，在玩遊戲時，可以說：「我們來比賽誰最能控制自己的力氣，讓積木塔不會倒。」

引導不是限制，改良式對話，讓孩子狀況內

場景：孩子玩車車沒多久，
又想玩積木

傳統教養對話	不把車車收好，就不要給我玩積木！	威脅口吻，3歲以下的孩子哭鬧不休
改良式教養話術	你想玩積木嗎？但車車檔在前面耶，這樣積木船開不過去，不然我們先讓車車回箱子的家	把車車收起來，因為接下來的積木更好玩

限制愈多的活動，幼兒持續度愈差

　　對於玩玩具的方式，我一直有個原則：要玩只玩一個，桌上不能堆滿玩具，否則孩子更容易分心。

　　有些小孩玩車車沒多久，又想玩積木，父母就會說：「如果不把車車收好，就不要給我玩積木！」但這種威脅語氣，會在雙方死纏爛打下，讓3歲以下的孩子哭鬧不休；而稍微大一點的孩子又會耍脾氣，心想不玩就不玩。這時就要用引導的方式，太多規範或限制的口吻，只會硬碰硬。

下次遇到這種情況時，你只要拐個彎說：「你想玩積木嗎？但車車擋在前面耶，這樣積木船開不過去，不然我們先讓車車回箱子的家。」言外之意是，媽媽要你把車車收起來，是希望接下來的積木更好玩。

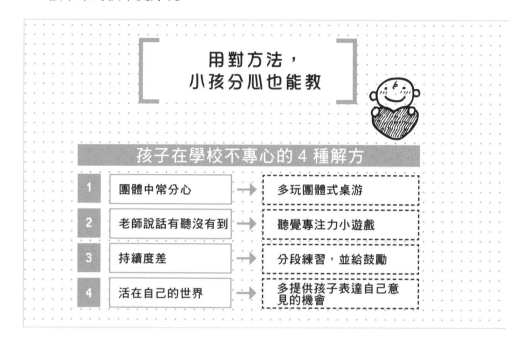

每年新生入學期，都有父母問我：「為什麼孩子看卡通時都像小聾女、玩喜歡的玩具也可以玩很久，但上課時，老師明明下了指令，全班九成同學都已經有動作了，只有他還沉浸在自己的世界？」在台灣有將近 60% 的小學生都有專注力不足的困擾，在學校會發生的狀況通常為：

在團體中常分心的小孩

有些孩子一對一互動可以很專心，但在團體中卻不斷被老

師反應容易分心。面對這類的孩子，可以帶他玩同時好幾個人一起玩的家庭式桌遊。盡量挑選桌遊的類型，必須是可以訓練輪流、等待與分享，也能讓孩子產生競賽的動機，以吸引他的注意力，也能藉此訓練專注力。

對大人的話常耳邊風的小孩

這群孩子通常會有聽覺專注力不好的情況。可以多陪他玩一些可以訓練聽覺專注力的小遊戲，好比說，自己先唸一串數字（或水果名稱），接著讓他唸一遍；或者可用拍手的方式，來觀察他的節奏與正確性。小一點的孩子，可唱他喜歡的童謠，讓他接著唱；大一點的孩子也能玩，讓他把數字或水果倒著唸。

持續度很差的小孩

持續力不好的孩子，往往被反應沒辦法上完一整段課程。其實孩子本身也會很挫折，這時候更需要爸媽的鼓勵。例如，功課比昨天多寫了一頁或兩行時，千萬別說：「怎麼又沒寫完？快去寫！」應該要說：「媽媽覺得很好，你已經比昨天多持續了 5 分鐘（或多寫一頁）了，先休息，明天我們繼續努力。」

活在自己世界的小孩

喜歡活在自己世界的孩子，好像別人做的事情都與他無關，因為有主見，就不喜歡聽別人的，這也是旁人認為他專注力不夠的主因。這時，可用互動的遊戲來解決，如果孩子喜歡聽故事，唸完之後，可以停頓一下，問他聽到了什麼？讓他說給你聽。

總之，只要站在孩子的立場，用對的方式陪伴、教育他們，都能夠達到培養專注力的效果，如果上述方法都無效，孩子仍然衝動、活動量大、專注力仍不足時，就要合理懷疑是不是有過動傾向，須找專業人士諮詢。

孩子玩玩具只有 3 分鐘熱度，你要這樣做

1	用引導方式，不要太在意原則
2	把孩子喜歡的角色融合進來一起玩
3	把「不持久」的玩具，和「很喜歡」的玩具一起玩

 教養的 **真相** → 學習效率要高，不只聰明，更要專心！大人常因為孩子聰明，而忽略他不專心！

PART 4

壞習慣改不掉的真相

4-1 會說謊的孩子
父母別再急著教「小孩不能說謊」

很多研究發現，對孩子的管教愈嚴格，孩子的說謊能力就愈強。管得愈嚴的孩子，真的比較容易學到不好的習慣嗎？

> 說到做不到的大人，
> 容易教出說謊的孩子

　　最近有一個媽媽跟我說，孩子變得經常說謊，讓她很失望，覺得自己的教育真失敗。這讓我想起國外一個研究：孩子說謊，其實有時候是因為不想要大人失望。

　　另外，還有一個會說謊的原因，是模仿學習，學到了爸媽的「承諾不必遵守」。舉例來說，有些爸爸媽媽，經常對孩子信口開河：「聖誕節我們就買什麼禮物給你！」「這個週末我們全家就去哪裡玩。」結果卻是，禮物忘了買、假日臨時要加班沒辦法旅行。

　　你以為這些承諾，孩子不會介意嗎？錯了，他們可是會一直放在心上！

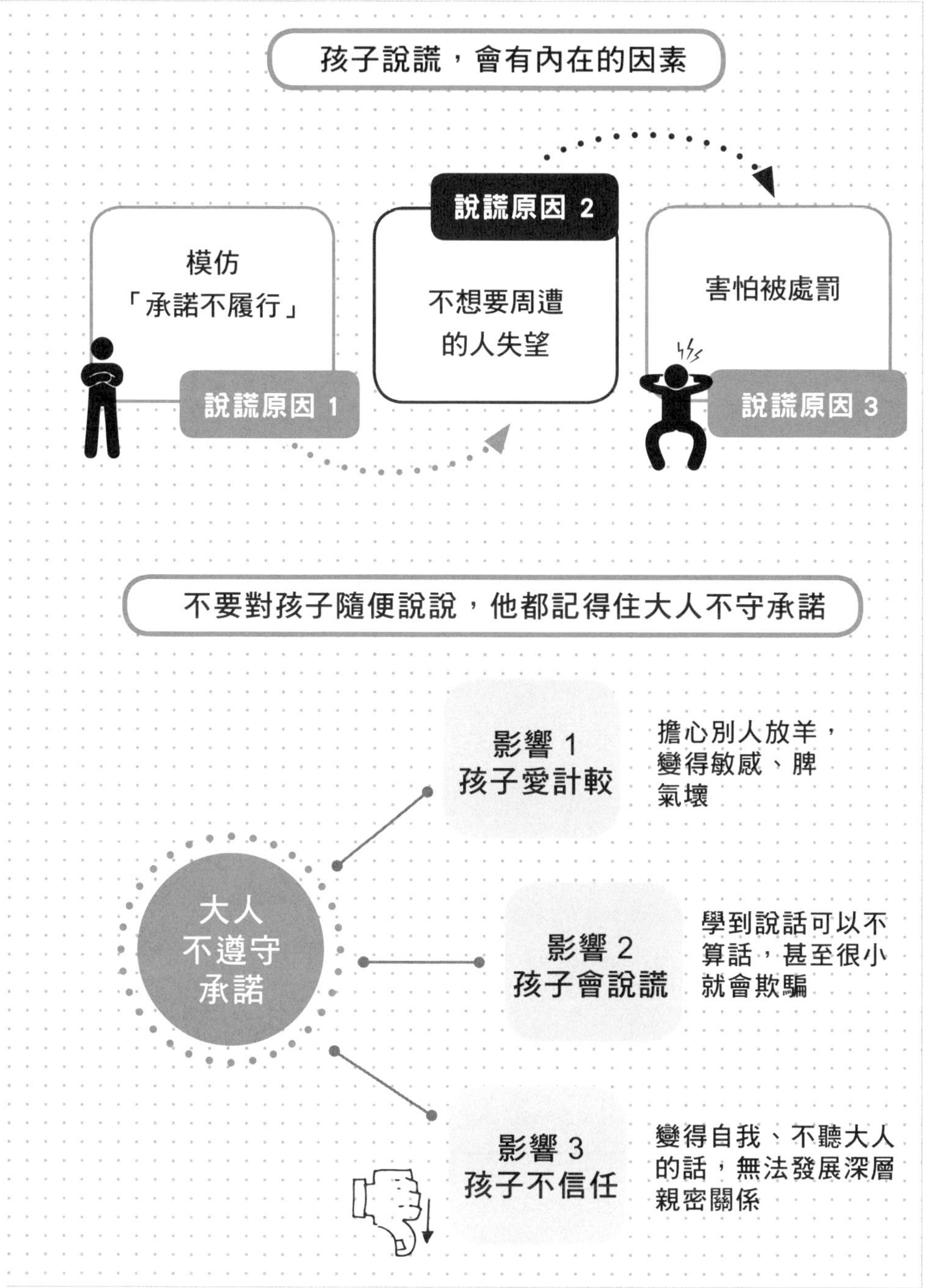

孩子說謊，會有內在的因素

模仿
「承諾不履行」

說謊原因 1

說謊原因 2

不想要周遭
的人失望

害怕被處罰

說謊原因 3

不要對孩子隨便說說，他都記得住大人不守承諾

大人
不遵守
承諾

影響 1
孩子愛計較

擔心別人放羊，
變得敏感、脾
氣壞

影響 2
孩子會說謊

學到說話可以不
算話，甚至很小
就會欺騙

影響 3
孩子不信任

變得自我、不聽大人
的話，無法發展深層
親密關係

父母的不守承諾，會導致什麼結果呢？首先，孩子可能會馬上跟你吵，為什麼你說話不算話，明明約定好了的事情卻做不到。這種孩子，通常情緒及脾氣會被爸媽的跳票練得很大，但這種情況我覺得已經算是好的了，日後可能會有更嚴重的情況陸續出現。

　　其次，孩子發現你經常跳票，就會變得愈來愈不信任你，未來，你的話他也只是聽聽就好，有得到就當做小確幸，沒得到反而覺得是理所當然。這種孩子，會發展出愈來愈多不聽話的行為，這都是爸媽跳票所造成的。

　　再者，孩子開始學習說到不做到，甚至開始學習說謊。好比說，明明沒收拾玩具，卻跟你說：「媽媽我收好了。」明明功課很多，會跟你說：「我都寫完了，今天只有一樣！」漸漸地，就會愈來愈輕而易舉的說謊，這就是父母不以為意的身教所造成的。

　　但如果已經答應孩子，卻真的突然有事做不到時，該怎麼辦呢？

　　最好先好好的跟孩子說明你會跳票的原因，且有誠意的跟他道歉：你真的沒想到會這樣；接著，提出補償及解決的方式，讓他覺得你是真的有把說出的話當一回事，而不只是糊弄他；最後，跟孩子說凡事都有意外，在承諾之前，你會更謹慎，但下次如果又有意外，你還是會好好處理的。

大人也會做錯，別死不認錯

跳票了，爸媽該怎麼做：

 1 道歉 ➡ **2** 補償 ➡ **3** 保證 ➡ **4** 修復

好好道歉，說明原因	提出補償解決方案	凡事總有意外，未來會謹守承諾	希望獲得孩子原諒，重新和好

不同年齡，說謊的原因不一樣！

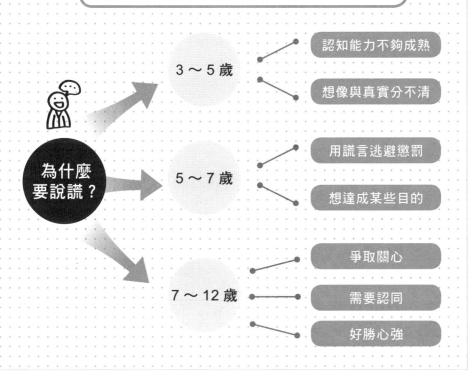

為什麼要說謊？

3～5歲
- 認知能力不夠成熟
- 想像與真實分不清

5～7歲
- 用謊言逃避懲罰
- 想達成某些目的

7～12歲
- 爭取關心
- 需要認同
- 好勝心強

說謊，大人要面對的是孩子的內在冰山

　　說謊，是每個孩子在成長過程中多少會遇到的問題。歸納孩子說謊的原因，3～5 歲的孩子不外乎是：認知能力還沒成熟，想像與真實分不清，因此才會藉由編造故事透露期望；5 歲以上的孩子，多半是用謊言來逃避懲罰，或是想達成某些目的。

　　無論如何，父母不要急著把孩子貼上「說謊就是壞小孩」的標籤，比較常見的說謊行為與處理方式有下列 4 種：

說謊，是想逃避自己不想做的事情

　　學齡前孩子如果不喜歡上才藝班，他可能會說：「班上的同學不喜歡跟我玩，所以我不想去。」這時候家長就要妥善與老師溝通，找出孩子學習遇到的困難點，不要把重點放在求證孩子說的是否為事實，否則反而可能會讓孩子再說另一個謊，來達到逃避的目的。

說謊，是為了爭取爸媽更多的關心與注意力

　　如果孩子是跟你反映：我的身體哪裡哪裡好痛，非常不舒服！有一類的家長選擇直接戳破孩子的謊言，不但會讓孩子沒有臺階下，還可能引來更多不正確的反映，因為孩子內心是需要你的陪伴與他互動。當他發出了這些訊息後，卻沒有得到合理的回饋時，自然就會選擇用能引起大人關心的議題來說謊。

因此，父母要具體的教孩子用適當的語言表達需求，例如，「下次你可以跟我說，媽媽你又再忙，都不陪我玩了。」久了之後，孩子就不需要用謊言來博取父母的關心了。

不用情緒處理說謊，理性溝通 4 招

說謊心理	說謊情境	教養策略
1 逃避不想做的事情	班上同學不喜歡我，我不想去上學了	找出孩子面對的困難，並與老師溝通
2 爭取關心或注意力	馬麻，我胸口好痛，痛死我了	先不揭穿謊言，而是引導孩子表達自己內心的感覺
3 怕被處罰	花瓶不是我打破的	重點放在「行為」而不是「人格」，讓孩子知道說謊是不對的
4 愛比較不服輸	有什麼了不起，我家有 100 台跑車和 50 棟房子	適時與孩子討論正確的價值觀，讓孩子知道周遭人都不喜歡他這樣說

說謊，是怕被嚴厲的處罰

人在面對危險的時候總是會逃跑，孩子也是一樣，當父母用嚴厲的語氣、手勢及表情對著孩子說：「你給我說實話，到底是誰弄壞的？」基於害怕權威的人性本質，孩子一定不會願意承認。所以，第一次犯錯時，父母要給予機會並鼓勵誠實的行為，再引導孩子下次不可以說出與事實不符的話。

你可以告訴孩子你的觀察，把焦點放在孩子說謊的「行為」上，不要放大去評斷孩子的「人格」，例如，「我剛剛發現你打破杯子，但是你沒有承認，那是說謊。」要清楚的讓他明白，說謊是不對的，而不是直接指責他是「壞小孩」。

說謊，是因為愛和同儕比較或喜歡競爭不認輸

有類不服輸而說謊的孩子，會出現這樣的對話：「有什麼了不起，我家有 100 台跑車和 50 棟房子。」與這類孩子互動時，父母可以適當的建立正確價值觀，讓孩子知道，周遭的人都不喜歡他這樣說，當孩子得不到支持與回應時，自然就會減少這類的說謊行為。

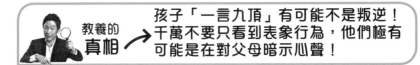

教養的真相 → 孩子「一言九頂」有可能不是叛逆！千萬不要只看到表象行為，他們極有可能是在對父母暗示心聲！

4-2 愛找藉口的孩子
別讓孩子從小沒有責任感

孩子還沒上學前，父母可能還無法感受什麼是責任感；等到他們上了小學後，整天不是忘了帶鉛筆盒回家，就是忘了今天是運動服日或制服日、再不然就是每天丟掉鉛筆或橡皮擦，甚至把同學的作業帶回家自己的卻不見了……，這時你才會真正體會責任感的重要性。

> ## 從小要教責任感，
> ## 不教長大會散漫

孩子有沒有責任感，跟大人怎麼教有關

1 從小沒有給孩子要負責的事

2 大人總是在幫孩子找理由

3 遇到問題，大人幫他解決

4 從不讓孩子覺得自己有錯

責任感是需要訓練的！長大後沒有責任感的孩子，常常是父母在不經意的情況下，用了錯誤的教養方法所造成的。很多人問我，在幼兒時期到底可以培養些什麼？如果想讓孩子贏在起跑點，又需要多做些什麼？我認為，成績只是暫時的，性格才是一生最受用的，所以，性格培養非常重要，無論是耐挫力、情緒穩定度、學習專注力、責任感或榮譽感等，都必須從小培養。

　　我常說習慣是從幼兒園開始，在小學時期收割，一定要提早訓練孩子的責任感。沒有責任感的孩子，會覺得任何事情都是理所當然的，所以，「自己都沒有錯，所有的錯都是

5 大內在能力，奠定孩子的未來

耐挫力

榮譽感

5大
內在能力

情緒
穩定度

責任感

學習
專注力

別人的錯」，常常聽到孩子沒帶水壺時，就說：都是我媽媽沒幫我準備！在他的心裡面，好像這個世界是繞著他轉，但長久下去，只會讓他長大後更沒有肩膀，面對問題不知也如何處理。

我自己曾有過這樣的經驗，有次送小孩到學校後才發現他穿錯制服，當下也跟大家一樣，覺得很丟臉也沒面子，還擔心旁人怎麼看自己，總覺得是自己沒教好才會讓孩子穿錯制服，所以就急急忙忙趕回家拿制服去學校讓他替換。

長不大、沒責任感的小孩，是內在心智不成熟

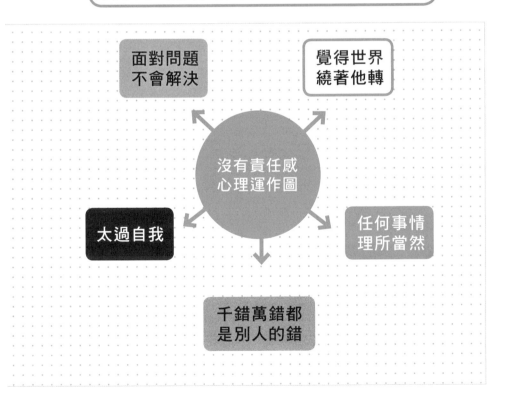

面對問題
不會解決

覺得世界
繞著他轉

沒有責任感
心理運作圖

太過自我

任何事情
理所當然

千錯萬錯都
是別人的錯

當時老師就對我說了句令我慚愧的話，他說：「爸爸，其實不用這樣，讓孩子自己知道該穿什麼，學著負點責任，並不困難。」這句話想想也沒錯！有時孩子不負責任，是因為父母出手太快。連我自己都曾犯過錯，想必其他父母也有可能犯同樣的錯。

提早教孩子責任感，為何很重要？孩子上學後，該學的是責任感，而不只是功課！

教養，是影響孩子未來能力的關鍵。下面提到的 5 個方法，對爸媽來說雖然有點困難，但改變，從今天開始，永遠不嫌晚！

不幫孩子找理由、避免孩子學藉口

孩子忽略責任，喜歡找藉口，是大人不經意教出來的。舉例來說，當某天老師打電話給你，說孩子今天上課時很愛說話時，你會怎麼處理？

大部分的父母都會以：「你今天為什麼又上課講話？」當作開頭，但接下來的對話就錯了。好比說，媽媽為了幫助孩子說出理由，會說：「是不是誰誰誰找你講話？」「因為覺得簡單，所以無聊嗎？」「還是不喜歡這個課？」這些我們替他找的理由，無形中就讓孩子有了藉口。

這時孩子通常會回：「對呀！那個誰誰誰來找我講話，又不是我先跟他說話的。」或者是說：「我就是覺得太簡單、不好玩呀！」

想想看，這樣是不是就造成一個局面：原本想解決的是上課說話的不對行為，卻變成讓他理由一大堆，在不經意下

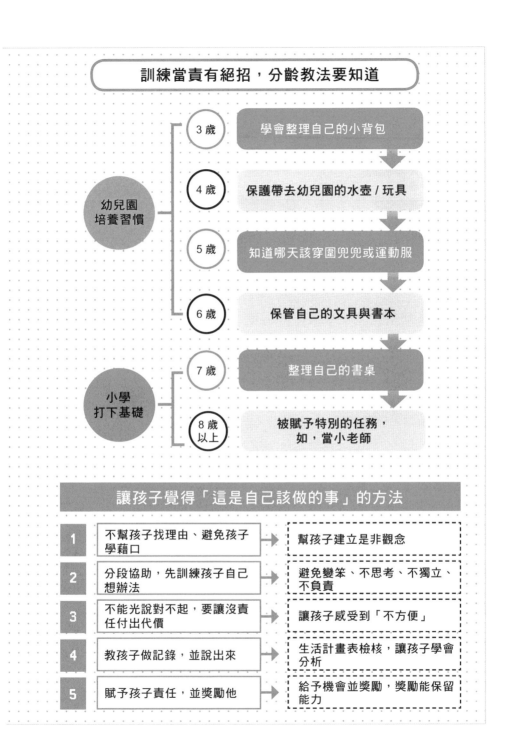

訓練當責有絕招，分齡教法要知道

幼兒園培養習慣

- 3 歲 — 學會整理自己的小背包
- 4 歲 — 保護帶去幼兒園的水壺 / 玩具
- 5 歲 — 知道哪天該穿圍兜兜或運動服
- 6 歲 — 保管自己的文具與書本

小學打下基礎

- 7 歲 — 整理自己的書桌
- 8 歲以上 — 被賦予特別的任務，如，當小老師

讓孩子覺得「這是自己該做的事」的方法

1	不幫孩子找理由、避免孩子學藉口	→ 幫孩子建立是非觀念
2	分段協助，先訓練孩子自己想辦法	→ 避免變笨、不思考、不獨立、不負責
3	不能光說對不起，要讓沒責任付出代價	→ 讓孩子感受到「不方便」
4	教孩子做記錄，並說出來	→ 生活計畫表檢核，讓孩子學會分析
5	賦予孩子責任，並獎勵他	→ 給予機會並獎勵，獎勵能保留能力

不幫孩子找藉口，孩子才能學會負責

- 你今天為什麼又上課講話？
- 因為覺得簡單，所以無聊嗎？

✗ 大人問錯話

孩子找藉口

我就是覺得太簡單、不好玩！

- 有很多辯解與藉口
- 無法建立是非觀念

忽略責任感了

幫他找了藉口，整件事焦點就錯了。最後，孩子會變成不認錯，開始辯解，忽略責任感。

正確的方式應該是：在問完「你今天為什麼又上課講話？」之後，先不說話，聽聽孩子的理由，他可能有很多辯解與藉口，不想認錯怕被受罰，大人聽完後，只要說：「但這是不對的，下次你覺得該如何控制你自己呢？」因為，幫孩子建立是非觀念非常重要。

分段協助，先訓練孩子自己想辦法

很多小學生到了學校後，才發現這個沒帶、那個又忘了寫，這時父母要訓練他自己想辦法。忘了帶鉛筆？就讓他自己跟老師、同學借，大人千萬不要自己主動請老師借筆給他，也不用專程帶去學校給他。當孩子告訴你忘了帶什麼時，只要適時丟一句話：「你自己想辦法！」否則，你的出手只會讓他變笨、不思考，更不獨立、不負責任，只有不協助對孩子才是真幫助。

不能光說對不起，要讓沒責任付出代價

　　誰都不希望長大後付出的代價更大，所以更要從小教起，父母一定要謹記這句話，相當重要。我們看到現代社會上，很多大人都以為只要一句對不起就好像沒事了，甚至連該怎麼辦都不知道，更不會進一步的負起責任，當然不能讓下一代也變成這樣沒責任感的大人。

　　沒責任感本來就要付出代價。好比說，水壺弄壞了，光說對不起、不是故意的，就足夠嗎？就應該買新的給孩子嗎？我覺得不行，因為只有對不起就原諒他、可憐他，他並不會有任何感受，而要為這件事付出的代價，就是讓他有「不方便」的感受，要忍受跟同學借東西，同學不見得願意借的不方便，這個不方便就是代價之一；或者，讓他知道被老師罵也是代價。

教孩子做記錄，並說出來

　　對自己負責，最好用的就是生活計畫表，這張表要讓孩子自己打勾，絕對不是由媽媽來檢查完成度。同時，當孩子完成打勾後，媽媽可以讓他說出每一個計畫點做得很好的原因，這是讓孩子學會分析，他才能對自己負責。

賦予孩子責任，並獎勵他

　　適度讓孩子保管、做一些能負責任的事情，可以訓練他的責任感。很多大人會在孩子想做些事情如洗碗、曬衣服時，因怕麻煩而阻止他、不讓他做。明明有機會讓他練習，卻剝奪了訓練的好時機，這就非教養本意。另外，當孩子做得很好時，也別忘了獎勵他，有了獎勵，他就會懂得保留這項能力。

萬能父母，教不出有責任感的孩子

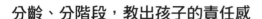

分齡、分階段，教出孩子的責任感

4 歲	· 教生活自理不嫌早
5 歲	· 當個提醒大人的小幫手
6 歲	· 讓孩子懂得「先做必要的事，再做想做的事」的好處
7 歲	· 帶著孩子建立「分析、組織及規畫日常」
8 歲	· 獎勵自動自發，多於獎勵成績
9 歲	· 讓孩子知道「有責任感是為了你自己，不是為了媽媽」
10 歲	· 發自內心告訴孩子：「能對自己負責，爸媽以你為榮！」

教養的真相 → 長不大的孩子背後，總有保護過頭的大人。這是孩子有問題，還是大人有問題？

4-3 兄弟姊妹吵不停的孩子
假公平，讓手足吵不停

有手足的家庭一定很熟悉下列對話：「不公平，為什麼弟弟不用做事我就要做……」「不公平，為什麼姊姊的比較大塊……」「不公平，為什麼每次都是他先」「不公平，為什麼他的禮物比我好……」面對這種種的控訴，到底怎樣做才公平？

> ## 大人認為的公平，
> ## 對孩子來說都覺得不公平

　　爸媽必須認清一個事實，愈要做好公平這件事，無疑只是火上加油罷了！從心理層面來看也是如此，「偏心、不公平」有時是孩子一時的心裡感受，多少反映出孩子內心想要引起父母注意的呼喚。

　　人類是很容易適應環境的動物，所以能夠在不同的環境中生存下來，每個人都希望能往前邁進，希望比別人好，比別人瘦、比別人有錢、比別人聰明、位階要高等，孩子當然也不例外，這可說是天生本能。

3 面向，破解孩子的「不公平」心境

公平	・永遠爭不完
天生本能	・希望能往前邁進 ・想比別人好、多
心理層面	・引起父母注意 ・一時心裡感受

　　9 ～ 10 個月大的幼兒，就已經可以理解最初級的數學概念，能察覺出 8 個和 12 個的不同，能理解多與少；不到 1 歲的幼兒就知道要拿大塊的餅乾，更何況是已經會說話的孩子呢？所以，公平這件事永遠吵不完，如果大人又加入做「公親」時，只會讓孩子覺得計較「公平」是很重要的。

父母愈想做到公平，孩子就愈容易忿忿不平

　　想想這個畫面，連假時全家帶著大包小包出門遊玩，大人常會請比較大的孩子幫忙拿東西，這時候大小孩會說：「為什麼弟弟妹妹不用拿？」通常父母會先用這句話回應：「因為你長大了呀，他們還小！」但我想請爸爸媽媽靜下心來回想

看似公平的 4 招互動技巧，對大小孩來說，一點都不公平

技巧 1

啟動公平原則→也讓弟弟妹妹拿簡單的東西

· 大的繼續吵，他的這麼輕，我的這麼重……

技巧 2

希望老大轉念→長大雖然要做的事變多，但還是有很多好處的……

· 大的持續辯論，當小的比較好……

技巧 3

教育什麼叫公平→那為什麼大人就得要做全部的事呢？……

· 大的持續辯解，因為你是大人，我是小孩……

技巧 4

同理心教育→真的好重，媽媽好希望你幫忙我……

· 大的罵弟弟妹妹都不幫忙，賭氣統統自己拿

一下，你會請孩子幫忙做事的理由是什麼？只是因為他年紀比較大？還是因為你覺得他有能力勝任？這會不會陷入一個盲點？年紀大等於有能力勝任（尤其家中有特殊孩子時，更能了解）？

遇到這種情形，通常我會這麼跟孩子溝通：「我知道這個東西很重，我需要一個人幫忙，考慮過你們每個人之後，我覺得你比較能夠勝任這個工作。」

　　記住，每次處理孩子間的爭吵，對孩子來說都是一次學習，但不是要學你當下給的大道理，而是學習你遇到事情的解決方式。如果只是大聲喝止「不准再吵了！」那麼當他日後遇到糾紛時，處理的方式也是用大聲來解決問題；如果你

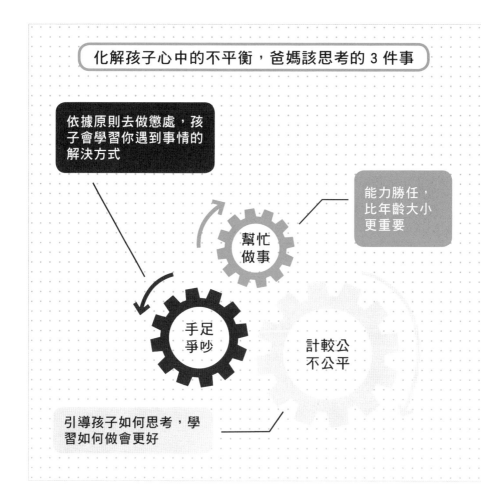

化解孩子心中的不平衡，爸媽該思考的 3 件事

依據原則去做懲處，孩子會學習你遇到事情的解決方式

能力勝任，比年齡大小更重要

幫忙做事

手足爭吵

計較公不公平

引導孩子如何思考，學習如何做會更好

是用威脅恐嚇來制止孩子的爭吵，那孩子未來遇到事情也可能是威脅恐嚇或動手。所以，家長要好好想清楚前因後果，依據原則去做懲處，孩子日後遇到事情時，也比較容易靜下心來，用理性來解決。

［不要一直跟孩子討論公平，溝通才有效］

當孩子計較公平時，父母千萬不要第一時間批評孩子怎麼那麼愛計較，或者也陷入公不公平的迷思，而要更客觀的分析，好比說可以讚許孩子有想法，但爸爸媽媽的想法其實是這樣，或者可引導孩子思考如何做才是最好的方法，好的方法要有效率又實際才行；光是大聲或拳頭是沒辦法解決問題的；給了方法後對方的反應是自己想要的嗎？如果不是，有沒有其他方法可解決？

我們都希望手足間能相親相愛、兄友弟恭，用聰明來解決衝突，但親愛的父母，你們是否也示範了聰明解決衝突的方法讓孩子學習呢？

別懷疑！手足爭吵，也能幫助孩子的發展

手足爭吵與競爭，孩子們能學到的 4 件事

1	勇於爭取自己權益而奮鬥
2	面對不同的意見衝突，並設法解決
3	能堅定自己立場，並說出來讓他人明白
4	懂得如何交涉談判，甚至妥協

教養的
真相

對孩子們來說，每次的爭吵都是一種學習！面對手足爭吵，千萬不要在當下就給孩子一堆大道理，而是讓他們學到你解決問題的方式。

4-4 頂嘴的叛逆孩子
先處理自己情緒，再想怎麼教

現在孩子很精，常鑽父母的漏洞，爸媽講 1 句，他馬上
回嘴 3 句，挑戰權威。情緒就像一顆球，孩子丟出來，
爸媽要接球並引導他，不要用硬碰硬的方式教。不然，
過一陣子，你就會在孩子身上，發現自己的影子。

[常見 3 種叛逆語言：
父母的對應]

小孩頂嘴，爸媽神回覆

我不要！	▶	有聽到，你不用說兩次
為什麼要聽你的？	▶	說說看，為何不用聽我的！
等一下！	▶	說清楚，等一下是多久！

挑戰語言 1：孩子總說「等一下」

孩子其實是沒有時間概念的，他的拖拉慢，有時是覺得並沒有讓你等很久，所以就用這句話來搪塞。況且，我們自己在教養中，也常常會跟孩子說「等一下」，結果卻讓孩子等很久，這也是讓孩子時間概念更模糊的做法，孩子自然會模仿學習起來。

挑戰語言 2：孩子愛說「我不要」

老是說「不要」、明明會的事情也故意耍賴要人幫忙、說了不可以做的事情，他偏要去做、動不動就用哭鬧的、一直都在討抱抱，有時甚至會賴在地上……。

沒辦法，這是 2 歲孩子要過度到心智成熟的必經過程，他們想要宣示自己的獨立性，所以常常以自我為中心、挑戰大人，如果達不到目的，就用哭鬧的方式來宣洩溝通，企圖挑戰成功。這樣的情緒行為表現會持續多久、強度有多強，就要看大人們的教養態度正不正確了。

記得小兒子 2 歲時，有一陣子我只要不順他的意，這孩子就會用大哭尖叫的方式吵鬧，再不然就是吵著要抱抱，但我和太太的處理方式都是冷靜的告訴孩子，「你不哭，哭完了才有抱，一直哭就沒有抱。」接著就做自己的事，偶爾會提醒孩子「不哭就來抱，哭完了嗎？」這不是禁止孩子哭，是我覺得很重要的教養原則。如果沒有特殊的生理因素（例如，肚子餓、想睡覺……），通常往 3 歲邁進後，孩子哭鬧的強度和時間很快就會逐日減少。

等一下，是孩子的「搪塞語」

我已經給了一次機會，再等最後 30 秒就不等，我一定說到做到

孩子沒有時間概念

等一下

面對「我不要」，冷靜溝通比禁止更重要

孩子宣示獨立性，以自我為中心、挑戰大人，若達不到目的，就以哭鬧方式來企圖挑戰成功

我有聽到你說不要，但大哭尖叫的方式，我不知道你要什麼，我可以等你好好說，但不能接受你亂生氣的說「不要」

我不要！
我要抱抱！

挑戰語言 3：孩子不服說「為什麼？」

　　曾經有一個孩子當面對著他媽媽說：「為什麼我要聽妳的？」「為什麼你可以，我不行？」這種挑戰叛逆的語言，都會讓爸媽急著跳腳，覺得好難教。

　　其實這些在測試底線的話語，真該想一想及冷靜後再回答。如果一開始就氣急敗壞的回答：「因為你是小孩，再沒大沒小我就修理你！」會一點說服力都沒有，而且等於只是暫時把火山口堵住，下次絕對有更大的爆發。

　　如果心平氣和的回答：「我們來想想，這是共同訂過的規定，並沒有針對你，你可以繼續說。」這樣的提醒，才能刺激孩子思考，讓他從表達裡，知道自己說的是歪理。

「為什麼」，是孩子在「測試底線」

這是我們共同的規定，大家都要遵守，很公平，可以問為什麼，但只回答一次，之後你就要自己想想看

測試底線的話語

為什麼我要聽妳的？

面對挑戰大人的哭鬧，
5 個實用教養步驟

　　當孩子出現強烈負面情緒，試圖與大人抗議時，下面這
5 個步驟，能讓孩子產生安全感，冷靜下來和你理性溝通。

步驟 1：安撫

冷靜面對孩子哭鬧行為的 SOP

| step1 安撫 | 同理孩子、給予情緒紓緩 |

| step2 約定 | 共同約定用適當方法表達自己訴求 |

| step3 分析 | 分析孩子不好好溝通的可能結果 |

| step4 鼓勵 | 用具體事例稱讚孩子的努力 |

| step5 提醒 | 當事情又發生，提醒他上次做得到，這次也可以 |

先蹲下來跟企圖發脾氣的孩子說：「我們在忙，我知道你想找我，我都聽到也看到了，你再等我 5 分鐘我就會去找你！」

步驟 2：約定

這中間如果你都可以好好說，沒有哭、沒有鬧、沒有尖叫，我等一下會好好的陪你及獎勵你。

步驟 3：分析

如果你哭鬧又追著我尖叫抗議，我聽不到你要什麼，事情沒辦法開始做，而且陪你玩的時間會變少。

步驟 4：鼓勵

信守你的承諾，鼓勵孩子做到等待，分析孩子比上次好的地方給他聽。

步驟 5：提醒

下次當他又要開始哭鬧時，要提醒孩子：你上次就做得很棒，這次也可以再試試看喔！

爸爸媽媽們要注意，在行為教養學裡，並沒有一招教你對孩子冷漠，這可是會破壞孩子的信任關係，讓親子間的互動大打折扣的。

如果孩子帶著情緒在找你，請先同理他，讓他感覺到關心，進一步了解孩子的需求，再決定你下一步的做法。

　　愛頂嘴或叛逆不服從孩子的個性，多半堅持度很高，對成人的管教不容易服氣，如果家長們為了引導出好品格，只是一味的禁止行為，有時候反而沒有教進孩子心裡，讓孩子覺得你不關心他，進一步就可能傷害了親子關係！

6 種讓孩子 EQ 更差的教養語言！

1	批評	你怎麼這麼壞？下次再也沒有機會出去玩了！
2	暴怒	我快被你氣死了！沒有小孩會像你這樣的
3	威脅	哭！你再哭！我就處罰得更重！
4	控制	你現在不准說話！不准辯解！因為你做錯事
5	不講理	不行就是不行！沒有什麼好說的
6	威權	因為你是小孩，我們是爸媽，所以你就該聽話，照著做！

孩子愛頂嘴，
父母可以這樣應對

　　面對孩子出言不遜的狀況，父母可以先靜下心來分析背後的原因。一般來說，幼兒講出難聽的話，或者說話不得體，可以歸納出幾個原因：

孩子口出惡言，是因為心裡受挫

重要權益被剝奪，抵死捍衛
- 引導回想制定的規矩

環境限制多，沒有表達意見的機會
- 提供孩子「可以做……」的選擇

欺負教養弱者
- 管教態度的一致

長期被溺愛，養成不恰當習慣
- 提供良好的行為習慣做楷模

原因1：對大人沒禮貌，是因為重要的權益被剝奪了，所以要抵死捍衛

如果爸媽已訂好家規，要求孩子遵守時卻被孩子頂撞，可以引導孩子回想原本制定的規矩是什麼，而剛剛的行為違反哪個了規矩；同時告訴孩子，要怎麼做才是符合家規。先不要隨著孩子的惡言相向，忘了好行為該如何引導，最後再帶著孩子分析自己的語言。

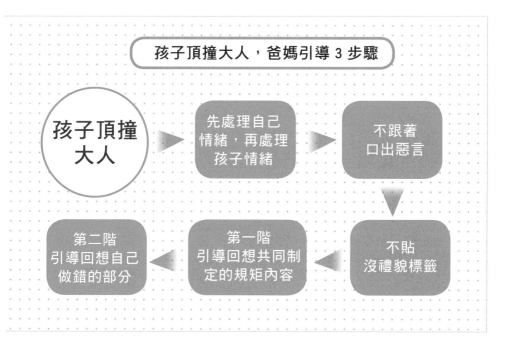

孩子頂撞大人，爸媽引導3步驟

孩子頂撞大人 → 先處理自己情緒，再處理孩子情緒 → 不跟著口出惡言

第二階 引導回想自己做錯的部分 ← 第一階 引導回想共同制定的規矩內容 ← 不貼沒禮貌標籤

原因2：對大人沒禮貌，是因為環境中限制太多，沒有表達意見的空間

孩子2歲以後，自主性會愈來愈高，愈多的禁止只會讓孩子和你的距離變遠，親子關係變差。這時，爸媽應該開放

一些選擇權給孩子。例如，吃飯時，可以提供多種菜色，由孩子自己選擇吃什麼。

在親子的溝通上，要求孩子「不准做……」的同時，也必須明確告訴孩子背後的原因。像是不能玩插座，是因為會產生危險。並且提供孩子其他「可以做……」的選擇。

最後就要跟孩子明白說出言不遜無助於權利的開放，並帶著孩子，由父母示範一次適當的語言表達，才能幫助孩子說出真正想說的話。

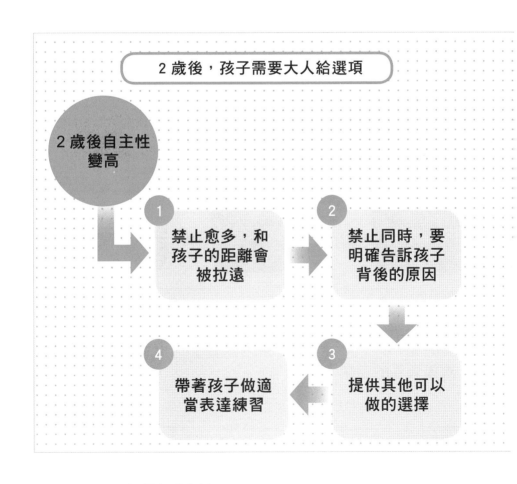

2 歲後，孩子需要大人給選項

2 歲後自主性變高

1 禁止愈多，和孩子的距離會被拉遠

2 禁止同時，要明確告訴孩子背後的原因

4 帶著孩子做適當表達練習

3 提供其他可以做的選擇

原因3：孩子鑽漏洞，欺負教養弱者

家有山老虎，當然去欺負小貓。我們常常遇到媽媽很在意孩子對大人說話不禮貌，若發現這種情況，自然會要求並嚴格處罰。但阿公或阿嬤並沒有這樣的規矩，孩子就容易對阿公阿嬤大小聲，甚至頤指氣使，這時候管教態度的一致，變得非常重要。

環境中如果大家一致要求孩子說話要得體，孩子才會打從心裡認定這件事是所有人在乎的，才不會鑽教養漏洞。

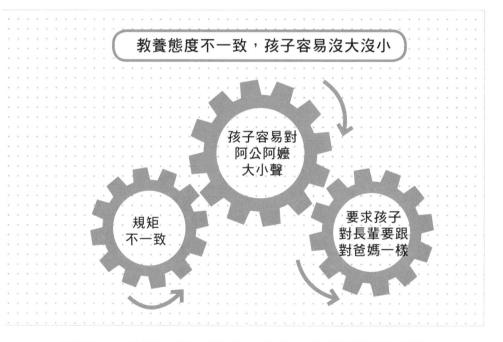

教養態度不一致，孩子容易沒大沒小

孩子容易對阿公阿嬤大小聲

規矩不一致

要求孩子對長輩要跟對爸媽一樣

原因4：長期被過度溺愛，養成不恰當的說話習慣

有些家長認為，孩子還小，不好聽的話是透過模仿而來，長大自然會成熟懂事。如果長期都讓孩子對大人出言不遜，

不加以處理，久了就會養成不恰當的言語行為模式，這就是過度溺愛了。還記得我之前在「慢吞吞的真相」裡講過的嗎？好習慣要比壞習慣多花 3 倍時間練習才能養成，也就是說，如果適切的言語行為需要 15 次的練習經驗，那麼一個不良的言語溝通只需要重複 5 次，之後就會形成習慣。

壞習慣養成，是因為沒有及時導正錯誤行為

孩子
出言不遜

爸媽
如果
這樣想

年紀還小
沒關係　→　養成不恰當
　　　　　　　的言語行為
　　　　　　　模式

好習慣養成
時間是壞習
慣的 3 倍　→　學習適切的
　　　　　　　言語行為

教養的
真相　→　孩子最不缺的就是建議！大人有時愈
　　　　　想孩子跟著做，孩子就會愈反彈。

4-5 壞習慣改不掉的孩子
大人該學的戒壞習慣溝通術

很多家長糾正孩子壞習慣時都會不小心加入情緒，情緒一上來，就容易開始責備與批評，於是，就演變為母子或父子大戰，搞得誰也不高興，又沒有達到教養的目的。我要說的是，教養沒有對錯，容易有情緒也是人之常情，沒關係，大家都需要多多練習。

[糾正孩子壞習慣，
爸媽別說錯]

糾正孩子壞習慣，這樣對話最無效

1. 用說的！幹嘛用哭的？
2. 再不收，我就把玩具丟掉！
3. 叫你不要碰，你還碰！
4. 你到底要我講幾遍？
5. 快一點！快一點！

經常聽到很多父母會用上面這些口氣教小孩，但是這樣說到底對不對？你有沒有發現，這樣說有時不但沒有改變，反而是每天不斷的輪迴、然後天天都為了這件事情而生氣。

想改掉孩子的壞習慣卻沒用有效的方法，是會讓孩子更反彈的。

「用說的！幹嘛用哭的？」這種說話方式，爸媽一開始的出發點雖然是要他練習用說的，但實際上孩子的心裡會覺得：你根本沒有同理我的情緒。因為，他覺得自己的情緒被封住了沒有出口，所以就會哭得更慘。當然，如果孩子聽到這句話沒有哭，表示他的理智線沒有斷掉，這樣的教養你可以繼續用。

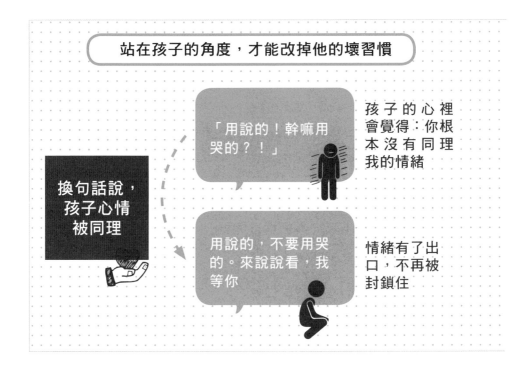

站在孩子的角度，才能改掉他的壞習慣

換句話說，孩子心情被同理

「用說的！幹嘛用哭的？！」

孩子的心裡會覺得：你根本沒有同理我的情緒

用說的，不要用哭的。來說說看，我等你

情緒有了出口，不再被封鎖住

不過，我會覺得，同樣一句話說的方式不同，效果也許就會不一樣！可以試試看，用比較溫柔的方式說：「用說的啊，不要用哭的，來說說看，我等你。」

大人容易看到壞習慣，不容易看到好行為

4 方法，漸進式帶孩子改掉壞習慣

訂出合理範圍

· 站在孩子角度上，試想要求可不可以做到

指令清楚不模糊

· 教導 3～5 歲的孩子，指令要很清楚

平常就要教孩子講原因

· 若當下不能冷靜，可以額外找時間說清楚

說出孩子的進步點

· 情緒來時，請先找出孩子的進步點，給予鼓勵

訂出合理範圍

如果你只是說：「你用說的啊，不要用哭的。」我可以替孩子回答你：辦不到。因為他不是不願意聽你的，而是停不了，這就是不合理的範圍。改變教養的話術，比較好的方式是：「你可以哭完了，再跟我說！」這樣一來，就能讓他練習把話說出來。還有一些不合理的範圍，譬如睡覺時，媽媽都會說：「還不快去睡」「眼睛閉上給我睡著」「快睡」等，這些都屬於不合理的範圍。

想想看，連我們自己都不能閉上眼睛馬上就睡著了，更何況是小孩，所以當你這樣說時，反而讓他很焦慮，一焦慮就更睡不著了。合理的範圍則是：「眼睛閉上，九點半前睡著就好。」過一會，當孩子又說：「爸爸我睡不著時」我就會說：「我剛剛是交代你眼睛閉上，沒有要你馬上睡著。」當他的眼睛閉上、不焦慮，20分鐘後自然就會睡著。

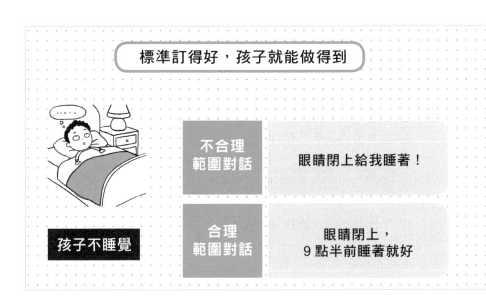

標準訂得好，孩子就能做得到

孩子不睡覺		
	不合理範圍對話	眼睛閉上給我睡著！
	合理範圍對話	眼睛閉上，9點半前睡著就好

指令清楚不模糊

　　教導 3 ～ 5 歲時的孩子，指令要很清楚。例如，媽媽不能說：「去給我收乾淨！」因為這種說法，是很模糊的，孩子只會心不甘情不願的把玩具丟進玩具箱。所以當你看到孩子的桌上仍一團亂時，一定又會氣起來，但孩子會覺得：明明我就收了呀！這是因為孩子並沒有接受到媽媽明確的指令，事情交代的不夠清楚，導致他以為自己已經收拾好了。所以，通常我會很明確的交代，例如：書包放在櫃子上、玩具回他的家、桌上沒有積木。

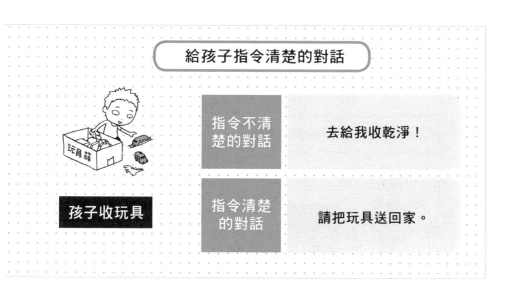

給孩子指令清楚的對話

孩子收玩具	指令不清楚的對話	去給我收乾淨！
	指令清楚的對話	請把玩具送回家。

平常就要教育孩子原因

　　就舉孩子出門時喜歡摸東摸西的壞習慣為例，很多媽媽看到孩子亂摸時，大概會說：「不是跟你說過，叫你不要碰還碰，等等又要去洗手，你很奇怪耶。」這句話似乎不太有

用，也不能把壞習慣調整過來，因為小孩亂碰有時是因為好奇，或者是需要一些觸摸的刺激。所以上面這句話就變得有說跟沒說一樣，沒有引導到他的需求，效果一定不好。

我還聽過更沒耐心的教法，例如：「你再摸呀，摸了吃下去肚子會痛死。」我非常懂爸媽在教小孩時有時會很急，所以想用誇大的說法來嚇他，但孩子是很精明的，遇到這時候，4 歲以上的孩子通常就會回你：「才不會。」之後，孩子就會覺得你說的話都不是真的，所以不聽、繼續碰。

如果孩子一直很好奇，我在平時就會找時間特別告訴他原因，比如說，亂碰窗台，我會跟他說：「因為窗台上有灰塵，會卡在你的指甲裡，等等就要吃晚餐了，會洗不掉，可能會吃到肚子裡去。」

改變壞習慣，平常要教，不要等到壞習慣出現才教

| | 沒有效果的對話 | 不是跟你說過，叫你不要碰還碰，等等又要去洗手，你很奇怪耶 |
| 孩子喜歡摸東摸西 | 把原因說清楚的對話 | 因為窗台上有灰塵，會卡在你的指甲裡，等等就要吃晚餐了，會洗不掉，可能會吃到肚子裡去 |

說出孩子的進步點

要改掉孩子的壞習慣，需要時間，也需要技巧。有時當你說出：「你怎麼總是不聽？」「你為什麼每次都不收拾？」孩子只會想到：「我哪有每次？」於是衝突點就變成到底有沒有每次都這樣，對於改掉壞習慣卻一點幫助都沒有。

我們都很習慣批評孩子的壞習慣，標準也給的比較高，所以，下次當孩子哭了 10 分鐘才願意跟你好好說時，你可以試試看：「你有進步耶，上次哭了半小時，這次只哭了 10 分鐘。」當你懂得在情緒來了的時候，先找出孩子的進步點，給予鼓勵，孩子的耳朵就會願意打開，教養才能聽得進去。

說出進步點，加強好行為的記憶點

指責的對話	你為什麼又要亂哭鬧？
說出進步點的對話	你有進步耶，上次哭了 30 分鐘，這次只哭了 10 分鐘

孩子又哭鬧

教養的**真相** → 父母不能只看到孩子的退步，更要看到孩子的進步。孩子不知道自己在成長，父母要再幫助他。

4-6 立刻馬上要，不然就哭鬧的孩子
情緒教育 3 步驟

玩具櫥窗旁，媽媽看到浩浩眼睛正盯著一個玩具不肯離開，趕緊跟他說：「今天沒有要買玩具唷！家裡已經很多了……」話剛說完，浩浩就開始哭鬧著說：「我不管，我就是要買啦，我要我要啦！」接著大人不想妥協，孩子就往地上一癱，情緒渲染愈來愈大。

> **情緒教育：**
> **讓孩子情緒有出口的教育**

　　你家有沒有這種立刻馬上要，否則就會暴怒、生氣、大哭、耍賴的孩子？

　　這種耍賴情形如果是在家裡還比較好處理，頂多就是不理他、忽略他，又或者修理他，再不然就是梳理有耐性的慢慢說。只是，在家裡能好好說、慢慢說；到了外面，孩子是從來不會顧及爸媽的面子啊！

　　況且，許多爸媽在外面情急之下，很容易用上一些 NG 語言，好比說：「你再哭，我下次就不帶你出來了！」或是

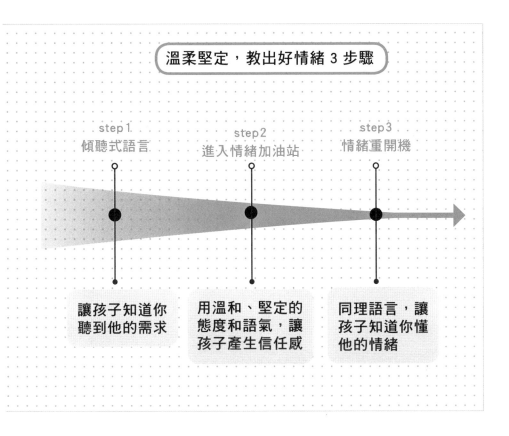

溫柔堅定，教出好情緒 3 步驟

step1
傾聽式語言

step2
進入情緒加油站

step3
情緒重開機

讓孩子知道你
聽到他的需求

用溫和、堅定的
態度和語氣，讓
孩子產生信任感

同理語言，讓
孩子知道你懂
他的情緒

「你再哭，我就不理你了！」上述這些語言對教養來說都很
NG，因為根本做不到下次不帶他出門，也不可能不理他。如
此一來，只會讓孩子繼續鑽漏洞，而且更胡鬧。

如果爸媽脫口而出的是：「回家後修理你」這類的話，
結果會更慘。孩子會產生「反正都會被修理，乾脆自暴自棄」
的心態。他一定會想，「既然如此，我在外面就要盡量的發瘋，
否則回家後就不能予取予求了。」

既然 NG 語言對孩子都沒效，只會讓孩子更執著於他的
目標，讓他用更強烈的行為去表達他的需求。那麼，當孩子
用可怕的情緒逼迫你，以達到他的需求時，又該怎麼辦呢？

父母這樣說，難怪孩子都教不聽

大人說氣話

> 再哭，下次就不帶你出來了！

> 再哭，我就不理你了！

孩子心裡感受

1. 大人做不到
2. 很想反擊大人
3. 很沒安全感
4. 更不知所措
5. 找不到臺階下

這樣說，會助長孩子的壞行為

大人說氣話

> 回家後試試看你

孩子心裡感受

我在外面就要盡量發脾氣，否則回家後就不能予取予求

情緒教育步驟 1：給予傾聽式語言

　　媽媽事先給了提醒：「浩浩，那個只能看喔，不能摸也不能買⋯⋯」孩子仍然哇哇吵的要：「哇ㄚㄚㄚㄚ，我要買、我要買⋯⋯」這時父母若說出：「不可以買就是不可以，走，我們走⋯⋯」孩子的情緒一定會爬到第二階段，使盡全力的要賴、大哭大鬧。

　　因此，開啟有效親子對話的第一個步驟是「給予傾聽式語言」，讓孩子知道你聽到他的需求。

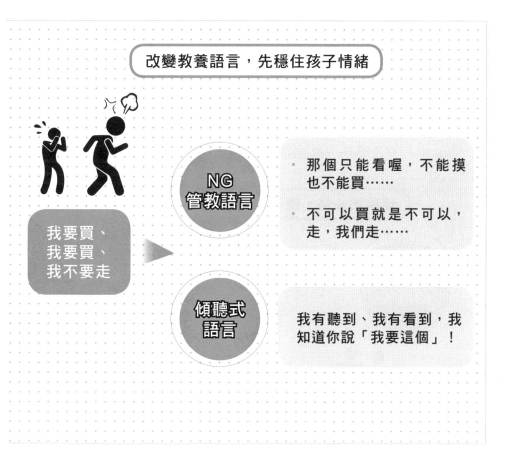

改變教養語言，先穩住孩子情緒

我要買、我要買、我不要走

NG 管教語言
- 那個只能看喔，不能摸也不能買⋯⋯
- 不可以買就是不可以，走，我們走⋯⋯

傾聽式語言
我有聽到、我有看到，我知道你說「我要這個」！

所以當孩子哭鬧著說：「我要買、我要買、我不要走」時，你要跟他說：「我有聽到、我有看到，我知道你說『我要這個』！」這是要讓孩子知道父母了解了他的需求，以阻止後續的重複鬼打牆行為發生，這就是能阻止更強情緒產生的傾聽式語言。

　　孩子會持續的說我不要、我不要等鬼打牆行為，多半是因為他以為你不懂他，才會用情緒表現愈來愈強的方式讓你感受。可能不只上到第一層樓，第二層樓、第三層樓，或者持續大爆發都有可能。**如果沒有在第一時間幫孩子把情緒收斂起來，後面接下來的溝通，可能都是無效的，只好等孩子情緒停下來。**

情緒教育步驟 2：帶往情緒加油站

　　當然，即使是說了傾聽式語言，孩子的情緒仍然可能繼續上漲，因為那個「他很想要的東西仍然在他眼前」，情緒

情緒加油站，讓孩子產生信任感

讓孩子冷靜的語言 → 來，我們去加油區（充電區）把生氣蟲蟲抓走

→ 我陪你，你需要我時就告訴我

冷靜後，再溝通孩子不對的行為

是無法收斂的，只有遠離目標，才有助於讓情緒易失控的孩子冷靜下來。

這時就必須進入第二步驟，給他一個冷靜區，也可以稱為情緒加油站、充電站。不過，家長平時就需先與孩子建立冷靜區、加油區的概念才有效。

「來，浩浩，我們去加油區（充電區）把生氣蟲蟲抓走。」帶他到可以讓他安靜的區域，也許有些孩子仍然會不顧一切的後空翻、不讓你抓，就是不想離開。但通常孩子不想離開的原因，有時是害怕被父母處罰。

你可以用溫和的態度、堅定的語氣，抱著他離開，同時跟他說：「我們去加加油、去充充電，去抓生氣的蟲蟲。」這樣語氣與態度，有助於孩子對你的信任。

情緒教育步驟3：情緒重開機

遠離了那個讓孩子發飆、生氣的環境後，爸媽要用重新

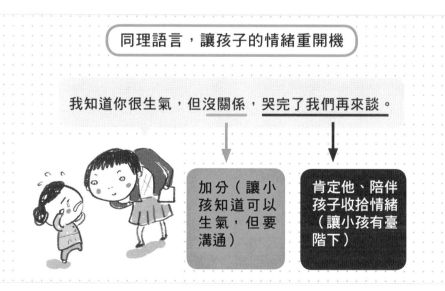

同理語言，讓孩子的情緒重開機

我知道你很生氣，但沒關係，哭完了我們再來談。

加分（讓小孩知道可以生氣，但要溝通）

肯定他、陪伴孩子收拾情緒（讓小孩有臺階下）

開機的語言，讓他的情緒更緩和。可以跟他說：「浩浩，我知道你很生氣，但沒關係，哭完以後，我們再來談。」這就是同理語言，讓孩子知道你懂他的情緒。

「沒關係」是加分，「哭完了我們再來談」是肯定他、陪伴他收拾情緒的語氣，這個肯定並非是他的哭鬧，而是肯定他願意跟我們走，歡迎來到安靜區，表示爸媽「我知道你很生氣，但現在有我陪你！」這就是所謂的情緒重新開機。

教養的大忌就是惱羞成怒，很多父母遇到孩子在外面耍賴，就大聲斥責小孩，似乎在向他人表示：「我有在管教」，但這對教養來說並沒有好處。又或者，有些家長屬於息事寧人型，只要他不吵就好，看看價錢也不貴，所以趕快買給他，這就形成了原則問題。如果有時候買、有時候不買，孩子永遠搞不清楚爸媽的規則是什麼，就更會吵。

也有些爸媽會用其他的東西來彌補，例如，不買遙控飛機，就問他要不要改買其他東西，好像是為了拒絕孩子而內疚，用別的方式來讓自己好受一點，這更違反了教養的目的，久了之後，孩子就會學到討價還價、見縫插針，會有一種「反正我先要大的，得不到至少還有小一點的」心態。

學習如何用正確的方式引導孩子不耍賴相當重要，這也能讓他了解並學習如何控制自己的行為，親子關係更和諧。

教養的
真相 →

大人正確的情緒教育，讓孩子變成情緒的主人；大人錯誤的情緒教育，讓孩子變成情緒的奴隸。

PART 5 無關緊要的真相

5-1 忘東忘西的孩子 大腦刺激不足

很多家長，會在小孩上學後，出現一個很煩惱的問題。
我就常常聽到媽媽跟我唉聲嘆氣：「孩子怎麼總是需要
人家提醒？常常忘東忘西，不是東西忘了帶去學校，就
是作業、外套忘了帶回家；我自己要記的事情已經那麼
多，還要幫他記這些瑣事，好累人哦！」

幫助「忘東忘西」孩子的 1 心法及 3 大腦活動

　　其實，**訓練孩子上學後不忘東忘西的關鍵期，應該是在幼
兒園階段**，這段期間如果沒有啟動訓練計畫，等孩子上了小學
後，你就必須忍受孩子總是落東落西的壞習慣。

　　有沒有發現，當我們提醒孩子別忘了什麼事情時，他好像
老是說：「這個我早就知道了，本來就想去拿了……。」但每
次都是在提醒過後，他才會記起來，真的令人煩不勝煩。這時，
父母可以運用下面這個心法及 3 種大腦活動小遊戲，來訓練孩
子的記憶力：

1 心法 3 活動，訓練孩子的記憶

心法 1	階段性複習 短時間內多練習
大腦活動 1 **聽聽看**	「簡單的重複說」指令遊戲 訓練聽覺專注力
大腦活動 2 **記記看**	圖卡看一遍，說出圖卡內容 訓練視覺專注力
大腦活動 3 **說說看**	說一小段故事 問孩子故事內容

心法 1：計畫性＋階段性複習

　　學習新事物，一定會忘記。對孩子來說，計畫性複習很重要。所謂計畫性複習，就是盡量在短時間內，再練習第二次。學一個新的單字，如果你在第 6 天再背一次，已經只剩 1/4 的記憶了，複習起來就會很痛苦，而且效果很不好。

大腦活動小遊戲 1：聽聽看，重複說指令的訓練

　　我常常會用一些小遊戲來訓練孩子的聽覺專注力，好比說，「簡單的重複說」指令遊戲。玩法是，媽媽先隨便挑選 5

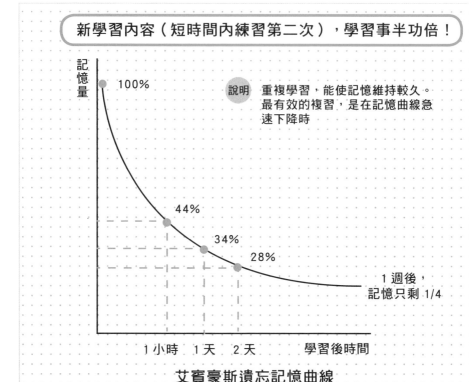

新學習內容（短時間內練習第二次），學習事半功倍！

記憶量

100%

說明 重複學習，能使記憶維持較久。最有效的複習，是在記憶曲線急速下降時

44%

34%

28%

1 週後，記憶只剩 1/4

1 小時　1 天　2 天　　學習後時間

艾賓豪斯遺忘記憶曲線

個動物，如「老鼠、熊、大象、恐龍、犀牛」，依序說完後，讓孩子仿說按照正確順序唸出動物名稱。大一點的孩子可以增加難度，如讓孩子倒著順序說出動物，或者增加動物的種類，常常玩可以訓練他們的聽覺專注力。

大腦活動小遊戲 2：記記看，過目不忘的訓練

準備一張圖片，圖片上面最好有各種不同動物或數字，先讓孩子看過一遍，10 秒後讓他閉起眼睛想想剛剛看到了什麼。這個遊戲的關鍵是，當他在看的時候，不能用嘴巴唸出來，只能默記。

大腦活動小遊戲3：說說看，記憶力訓練

媽媽先說一小段故事，故事中要有動物的名字、個性、做什麼等。舉例來說，「波波是一隻勇敢又開朗的小暴龍，雖然吃肉，卻非常善良，只是波波有點任性，遇到一點點不順心、不如意的小事，就愛發脾氣。而且一生氣就不吃東西、不說話、也不理人，甚至不睡覺。」故事說完後，接著就可以考考孩子，好比說，「剛剛那隻小暴龍叫什麼名字呀？他一生氣就會怎樣？他喜歡吃什麼？……」

> # ３～６歲親子共讀，
> # 影響 11 歲的學習力

訓練孩子專心聽的能力，要從小開始，尤其是 3 ～ 6 歲，這是大腦開發的關鍵期，很多小一、小二生在學習上有障礙，都是因為在幼兒園期，分心沒有人在意，上了小學後問題才爆發。

早期閱讀為何我那麼重視，這是因為學齡前的閱讀會影響 11 歲時的學習力。研究發現，上小學後的「知識理解力」及「字句解讀」，跟父母在孩子 4 歲前，有沒有做好親子共讀有關。**關鍵在於帶孩子閱讀的過程，就是一直在刺激大腦神經元的過程。**

大腦中有與文字連結、閱讀連結的區塊，這些區塊的發展，影響著孩子日後的學習潛能，透過早期閱讀、親子共讀

等方式，可以讓這些區塊變得比較活躍。我自己即使很忙，也會每天或隔幾天就跟孩子說說故事書，做一些親子互動，因為常常聽故事的孩子，未來的情緒會比較穩定，日後也比較不容易犯錯，這就是所謂「陪伴的力量」。我們這本書的精神，更是想教大家，陪伴也要有方法。

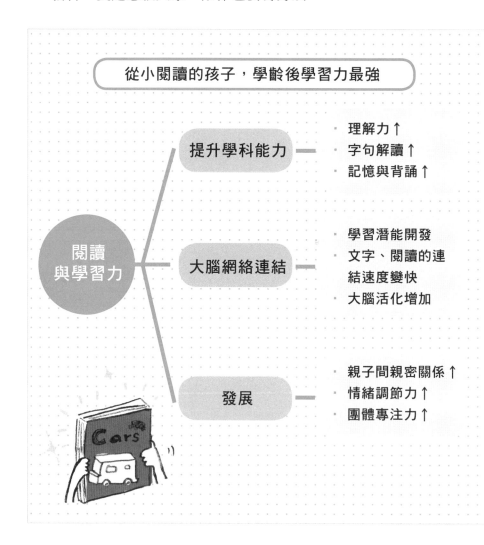

從小閱讀的孩子，學齡後學習力最強

閱讀與學習力

提升學科能力
· 理解力↑
· 字句解讀↑
· 記憶與背誦↑

大腦網絡連結
· 學習潛能開發
· 文字、閱讀的連結速度變快
· 大腦活化增加

發展
· 親子間親密關係↑
· 情緒調節力↑
· 團體專注力↑

大腦花園

　　學習理論中，有一個「神經修剪理論」，認為大腦就像一座花園，裡面枝葉茂盛是不夠的，想要變成賞心悅目的花園，要靠園丁的整理。而腦中的神經膠原細胞（glial cells），正是這個重要的園丁，在花園中清除雜草及害蟲，才能讓花朵長得更好。

　　這些園丁去蕪存菁的目的，主要是清理大腦的空間，讓孩子可以學習更多的新事物；而且，大腦也有「用進廢退」的能力，被教過的知識，如果常拿出來使用，就會記憶猶新；而不常複習的學習，就會被認為是沒用的，自然而然修剪掉。

大腦裡的「神經修剪理論」

- 大腦就像一座花園，腦中的神經膠原細胞是重要的園丁，清理大腦的空間，讓孩子可以學習更多的新事物。

- 大腦也有「用進廢退」的能力，被教過的知識，要常拿出來使用，才會記憶猶新。

- 不常複習的學習，就會被認為是沒用的，自然而然修剪掉。

教養的
真相 → 孩子的大腦就像座需要被整理的花園，若要讓他學得好，反覆學習的經驗絕對不可少。

5-2 不自動自發的孩子 「主動」是從小要訓練的」

如果父母想要孩子自動自發，千萬要把握 3 ～ 6 歲這個黃金階段，這時期是建立孩子「自我負責」觀念的最好時機。因為懂得自我負責，可以讓孩子一生都受用，而且，這種學習態度，比孩子的成績重要，是未來成功人生的要素。

學齡前的孩子，就可以訓練負責身邊事務

孩子如果能在學齡前學習為自己的行為負責任，等到上了小學之後，父母就有機會看到凡事自動自發、理想型小學生，孩子們表現出來的會是：早上不賴床、上學不遲到、好學不倦、充滿學習熱情、不用催也不用趕，自動自發寫完功課等。

2 歲前的幼兒處於無律階段，這時還沒有是非觀念的存在，多是以滿足自我的需求為優先，外在的行為表現大多是不受控制。但過了 3 歲以後，就會開始進入他律時期，除了自己，已經意識到他人的存在，也有了是非善惡的觀念。5 歲以後，更能透過先前的成功經驗，建立自律的雛形，並且可

在社會的鼓勵之下，逐漸形成一個個的好習慣。

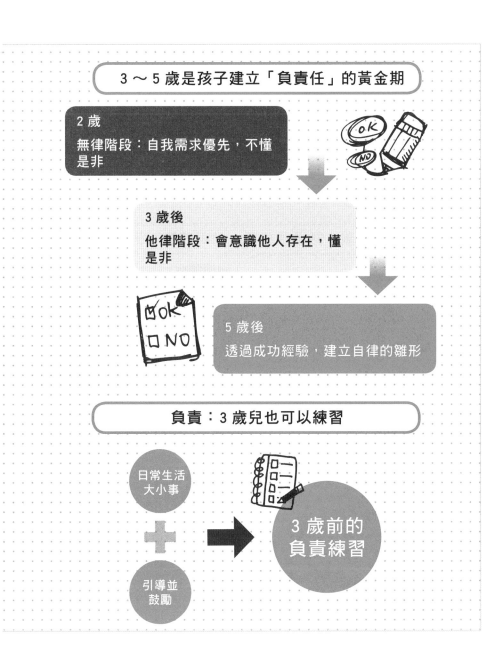

3 ～ 5 歲是孩子建立「負責任」的黃金期

2 歲
無律階段：自我需求優先，不懂是非

3 歲後
他律階段：會意識他人存在，懂是非

5 歲後
透過成功經驗，建立自律的雛形

負責：3 歲兒也可以練習

日常生活大小事 + 引導並鼓勵 → 3 歲前的負責練習

要養成孩子的自律習慣，就必須從日常生活中的大小瑣事開始教起，等到日後當他較成熟能面對事情時，思路才能朝向正確的方向前進。好比說，一個 7、8 個月的幼兒，雖然不會走路，但在他玩完玩具後，如果能引導他爬著將小車車放回玩具箱，然後讚美他的努力，日子一久，他自然就會學著把自己應該做的事情做好。

　　對已經 3 歲開始學習自律階段的孩子，我認為父母的教養重點可放在下列幾點：

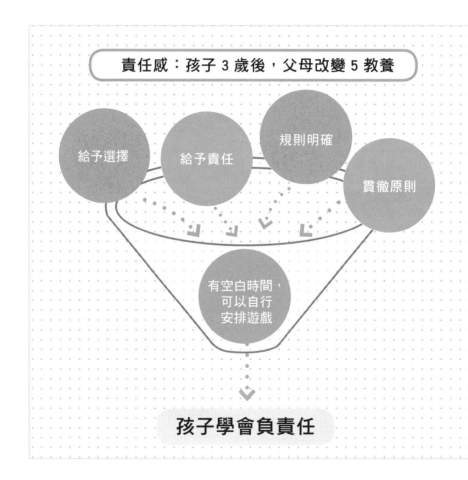

責任感：孩子 3 歲後，父母改變 5 教養

給予選擇

給予責任

規則明確

貫徹原則

有空白時間，可以自行安排遊戲

孩子學會負責任

開放給孩子選擇的權利

在《每個孩子都能學好規矩》一書中，作者安妮特‧卡斯特尚（Annette‧Kast-Zahn）建議父母：「關於自己需要什麼，孩子應該逐漸做更多決定，並自己承擔後果。」**無論是吃飯或遊戲，父母都應該讓孩子有選擇的權利，而不是指導或幫孩子決定。**

舉例來說，吃飯的內容可以由父母來決定供應哪些菜色，但卻無法決定孩子的食量；所以，只要孩子不想繼續吃，就要結束用餐。你要做的只是堅持在規律的時間提供三餐，拒絕在餐與餐之間提供額外的零食，這樣孩子很快就會學習找出正確的食量。

生活自理的責任

孩子進入幼兒園後，很多媽媽變得有「早晨焦慮症」，因為孩子總是太晚起床、穿衣服拖拖拉拉、或者吃早餐慢吞吞。卡斯特尚認為，父母的責任是將孩子準時送到學校，至於孩子是否穿戴整齊、頭髮有沒有梳好、是不是有時間從容不迫的吃早餐等，都應該交給孩子自己決定。**當孩子覺得自己「有責任」時，早上就不會有理由無理取鬧。**

給孩子無聊的權利

這個階段的孩子，應該要開始學習規劃自己的閒暇時間，如果孩子一句「我好無聊」，就可以獲得父母的陪伴，那孩子就沒辦法認識自己的需求和能力，也不知道該如何和自己相處。所以說，**孩子無聊的時候，就是開始練習「獨處」的最佳時候。**

訂定明確規矩，讓孩子知道違反規矩的後果

幼兒需要規矩、限制與界限，才能學到自我控制，了解不是什麼事情都能率性而為。《我家幼兒教養好：3 ～ 6 歲》一書中曾提及，孩子其實很需要成人為他們訂定規矩，以作為支柱與指引，他才能了解什麼是良好的態度與正確的行為。

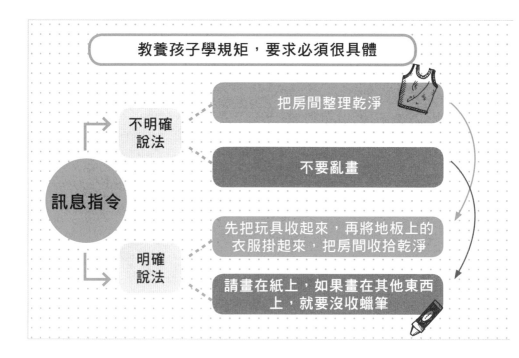

教養孩子學規矩，要求必須很具體

訊息指令

不明確說法
把房間整理乾淨
不要亂畫

明確說法
先把玩具收起來，再將地板上的衣服掛起來，把房間收拾乾淨
請畫在紙上，如果畫在其他東西上，就要沒收蠟筆

只是，**教導幼兒的規矩和要求必須要很具體**，如果你只是說：「去把房間整理乾淨」是很模糊的要求。對孩子來說，「房間整理乾淨」的意思不明確，因為他不知道要用什麼方法讓房間變乾淨。

明確且具體的說法應該是：「先把玩具收起來，再將地板上的衣服掛起來，把房間收拾乾淨。」而且你要讓孩子了解違反規矩的後果，這會讓他知道如何做決定，因為**「正確的決定會得到正面的結果，錯誤的決定會是負面的後果。」**例如，給孩子蠟筆前，先提出明確要求：「請畫在紙上，如果畫在其他東西上，就要沒收蠟筆。」

挑戰規矩底線時，父母要讓孩子知道違反規矩的後果

我知道有些父母即使訂了規矩，也曾經告訴孩子違反規矩的後果，但只要孩子一哭鬧、拖延，就會妥協或屈服。這種**教養態度不一致，孩子就會成為機會主義者，學習到利用負面的方式堅持到底。**所以，如果想讓孩子學到自律，就要堅定執行自己立下的規矩。孩子只要看到爸媽言出必行，就會認真看待你對於違反規矩的警告。

 教養的 **真相** → ３～６歲，從日常小事開始練習負責；７～12歲，放手給他大事練習學會自律。

5-3 明知故犯的孩子 愈說愈故意的行為

「為什麼總是要跟我作對？我明明告訴他不要在客廳丟球，他卻總是一副『我偏偏要』的態度，甚至愈說愈故意！真令人生氣！」

「每天早上叫他穿外套，就是偏不要！警告他說會冷到，就偏偏不穿還頂嘴。總是要等到媽媽罵人了，孩子才願意把衣服穿上。真搞不懂他在想什麼！講都講不聽！」

[孩子故意，
不見得是在針對媽媽]

不同年齡階段的孩子，考驗媽媽耐性的原因也很不一樣。好比說，4～6歲是心智發展快速期，這時可能很多家長都會發現，管教愈嚴，孩子反彈也愈大，不但愛頂嘴、唱反調，罵也罵不聽。

2歲：想控制大人

2歲的孩子已經開始具有自我意識了，總覺得自己長大

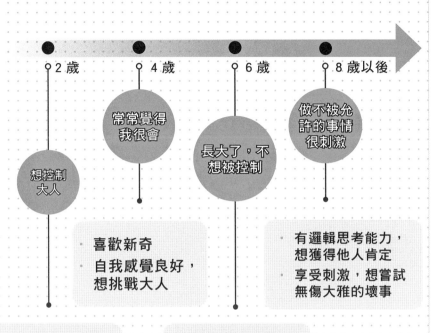

心理因素

2歲　4歲　6歲　8歲以後

想控制大人

常常覺得我很會

長大了，不想被控制

做不被允許的事情很刺激

行為特質

・喜歡新奇
・自我感覺良好，想挑戰大人

・有邏輯思考能力，想獲得他人肯定
・享受刺激，想嘗試無傷大雅的壞事

・具有自我意識
・會想透過事情證明自己長大
・過度禁止會更激發其好奇心

・探索意圖更強
・自信心強過實際掌握事情的能力
・「控制衝動」的階段

了，什麼都想照自己的意思去做，爸媽愈說不可以，他就愈覺得背後一定有什麼祕密很值得探索，所以在家裡經常會有「不讓他玩插頭、他偏要玩；不讓他跳沙發、他卻跳得愈開心」的狀況發生。這時如果過度禁止，會讓

他更好奇、更想要冒險，當你的指令不明確、又複雜時，他只會聽到他想聽到的「可以」，自動省略了前面的「不」字，因為，他只想對你證明：「我長大了！」

4 歲：常常覺得我很會

4 歲的孩子喜歡新奇的事，雖然已經有點小能力了，但在爸媽的眼中仍是個小不點。這時他會覺得自己已經很厲害了，你根本不了解他、不想放手讓他長大獨立，因此很容易表現出抗拒不從的心理，完全不想聽你的指令，甚至會有點想要挑戰你的底線。

6 歲：長大了，不想被控制

學齡前的 6 歲小孩，因為行為能力更強了，想要探索的範圍也更大，相對的也更容易闖禍、惹麻煩。這個階段的孩子正是「控制衝動」能力的發展階段，又有著冒險犯難的精神，所以當你說：「不要碰」時，他想的是：「碰一下又不會怎樣」；這時你如果還一味禁止，他當然不聽！

8 歲以後：做不被允許的事情很刺激

學齡期的孩子已經開始有邏輯思考的能力，會想很多問題，也希望得到爸媽或老師的肯定，但心裡又有一種賭徒心態，想嘗試一些無傷大雅的壞事，享受刺激感，在他心裡，總是有股聲音告訴他：「做做看，反正不一定會被抓到。」

別被激怒！孩子故意唱反調，父母反而要冷靜低調

明知故犯孩子的分齡教養溝通術

年齡	解決策略	親子溝通術
2～4歲	放輕鬆	先 hold 住最重要的事情（攸關危險，就要用嚴肅態度讓他知道）
5～8歲	有彈性	事前跟孩子溝通，提供選擇權，讓他獲得做決定的權利
9～12歲	要信任	相信孩子，多讚美努力成果放手讓他計劃

　　有沒有發現，孩子產生故意行為時，當我們在氣頭上，用威脅、恐嚇或打罵的方式教養他，經常徒勞無功。下次或下下次，孩子仍然故態復萌，大人總是不能理解，為何「他明明知道做了會被罵、會被處罰，卻還是照做？到底怎麼回事呢？」

　　在上段裡，我分析了孩子故意行為背後的想法。你要知道，每個階段的孩子，明知故犯的原因都不太一樣，爸媽到底應該要怎麼做，才能化解陷入僵局的困擾？

2～4歲的故意心態是「實驗心理」

　　這階段的孩子好像總是特別故意，教他認識三角形，一次說對了以後，下次他卻故意說成四角形；又或者，告訴他「這是米奇」，他偏偏就要用邪惡的眼神看著你，然後說出：「米古、米香、米花……」五花八門的詞，等你糾正時，他又笑得很開心，真的非常故意！

　　其實有些孩子故意跟你搗蛋，只是想實驗一件事：他想確認父母說的並不對。很奇怪的，每次當我們說出：「不要跑，否則會跌倒喔。」有時他就只會回頭看看你，然後繼續跑，但卻不會跌倒。這時，孩子的心裡想的是：「你騙我，我才不會跌倒呢！」所以，如果家長一直重複這些碎唸的話，等他

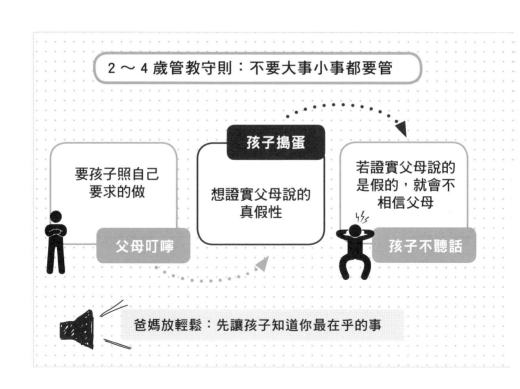

實驗後發現你說的不見得是對的，以後就會覺得你說的全都是假的，然後就愈來愈不聽話、愈來愈故意。

遇到這種情況，解決策略是要更放鬆。2～4歲的孩子還不懂道理，如果你很認真跟他說教，那你就輸了！換言之，如果連這點小事父母都不放鬆，你真的會累壞啦！畢竟教養是條漫漫長路，中庸之道就是「剛剛好」，管得太緊、或太鬆都不好。

那麼，要如何放鬆？**我建議只要管你認為最在乎的事情**，也許是安全問題、也許是與健康有關，千萬不要讓10件教養事，件件都是重點事，這樣一來，當遇到你真的想特別強化的規矩時，孩子怎麼能區別出要特別留意的呢？

5～8歲的故意心態是「尋求認同」

5～8歲的孩子已經可以開始講道理了，他能感受到旁人的情緒，也知道自己想要什麼。在這個階段，他已經覺得自己能做好任何事情，因為他長大了，已經很厲害了；另外，他還會覺得自己這樣做一定是對的，怎麼會出包？又或者，這時是孩子自我感覺良好的階段，他會覺得自己什麼都做得到，所以想要爭取你的認同。這個階段請爸媽多給他一點彈性，以及更多讚美與回饋，讓他更有自信。

不要和孩子硬碰硬，都想掌握在自己手上，這只會讓親子關係更不愉快。建議可以事前跟孩子溝通，提供你認為可行的3個選項，讓孩子從中選擇自己做決定。

爸媽常常會在教養中忘了彈性，好比說，你要求孩子不能在家裡打球、不能打弟弟，但卻沒理解他想打球的原因？

5～8歲管教守則：不要和孩子硬碰硬！

父母常做錯	→	孩子唱反調原因	→	開放式溝通

- 認為孩子還沒長大
- 要孩子直接聽大人的
- 用氣急敗壞的語氣教小孩

- 不想被覺得幼稚
- 相信自己是對的
- 被誤解而急著辯解

- 減少命令語氣
- 聽聽孩子怎麼說
- 跟孩子說曾犯過錯的經驗

爸媽放輕鬆：不要和孩子硬碰硬，適當讓孩子有選擇權

或是關心他為什麼會打弟弟？事件背後或許隱藏著，他想活動但無處可去，又只是想跟弟弟玩卻被貼標籤說他打弟弟。

如果你跟孩子每天都為了同一件事情而斷掉理智線，那就更需要找時間好好跟他溝通。因為教養不能求快，更沒有快速的解藥，也無法一個口令一個動作，更不能用言語或行為以暴制暴，否則，你自以為的教養，只是讓孩子學了不當的做法罷了。

9～12歲的故意心態是「為什麼要聽你的」

　　中高年級的孩子，已經有了獨立思考的能力，慢慢開始覺得爸媽的說法無法說服他，也覺得你總是在命令他，不讓他做這、做那；甚至認為自己已經懂得很多了，爸媽的想法早就不符合時代潮流，是老古板了。

　　這個階段的孩子，已經慢慢長大了，如果你還是認為他總是在針對你、反抗你，你一定會更生氣。有沒有想過，親子間的互動，當你愈是這樣想時，教養的行為就會愈來愈偏差。我反倒建議，這時要懂得信任孩子，相信孩子的能力。

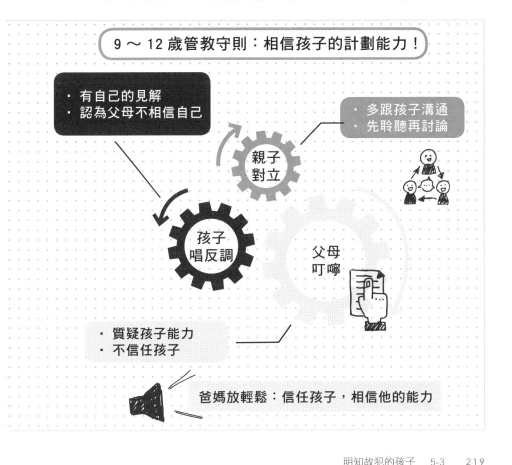

9～12歲管教守則：相信孩子的計劃能力！

- 有自己的見解
- 認為父母不相信自己

- 多跟孩子溝通
- 先聆聽再討論

親子對立

孩子唱反調

父母叮嚀

- 質疑孩子能力
- 不信任孩子

爸媽放輕鬆：信任孩子，相信他的能力

我常常發現，來診的父母有時雖然無心，表現出來的卻是處處質疑孩子能力。好比說，孩子考試考得好，親子對話卻說：「是不是這次題目很簡單？」又或者，當孩子好不容易畫了一張很厲害的圖畫時，卻回應：「這該不會是用描的吧！」諸如此類質疑孩子能力的話語，千萬不能說，這只是用負面的行為舉止來懷疑孩子，反倒強化了孩子更故意的行為。

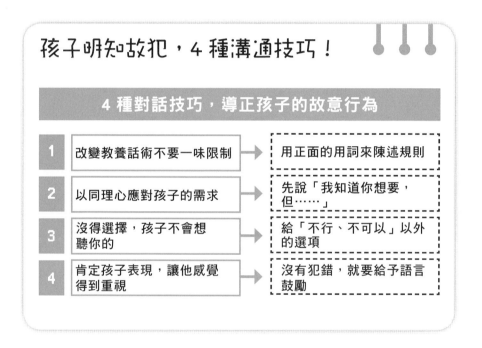

孩子明知故犯，4 種溝通技巧！

4 種對話技巧，導正孩子的故意行為

1	改變教養話術不要一味限制	→ 用正面的用詞來陳述規則
2	以同理心應對孩子的需求	→ 先說「我知道你想要，但……」
3	沒得選擇，孩子不會想聽你的	→ 給「不行、不可以」以外的選項
4	肯定孩子表現，讓他感覺得到重視	→ 沒有犯錯，就要給予語言鼓勵

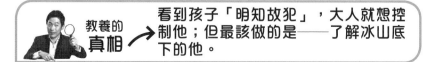

教養的**真相** → 看到孩子「明知故犯」，大人就想控制他；但最該做的是——了解冰山底下的他。

5-4 對自己的事無關緊要的孩子 為什麼總要媽媽生氣才會動？

這樣的對話，有沒有覺得很有臨場感？「今天還有什麼事沒做？」「是不是有什麼功課還沒有給我檢查？」「明天要用的東西都帶了嗎？」不管我們問什麼，孩子總是回答不知道，一副事不關己的樣子。

> ## 無關緊要的態度，是因為孩子
> ## 不覺得媽媽提醒的事很重要！

　　是不是總覺得自己對孩子的叮嚀，他擺出的永遠都是無關緊要的態度，不管怎麼教、怎麼處罰，每一天就是重蹈覆轍！周而復始的挑戰底線，真的讓媽媽很生氣！許多媽媽都跑來問我，究竟有什麼辦法可以改變孩子散漫的行為？

　　引導無要無緊、事不關己的小孩，爸媽要先給自己這 5 大觀念：

觀念 1：明確讓孩子知道哪些事，是自己應盡的本分

和孩子互動，不要總是在第一時間就用命令的，這樣孩子會

更被動。如果父母總是告訴孩子「順序、步驟、時間」，那孩子的生活定向感就會更差，也不會內化感覺這件事是自己該做的事，而是很容易連結「我要做這件事，是因為我被要求要做」「我要做這件事，是因為媽媽生氣，所以要趕快做」，而不是「我自己應該要做這件事」。

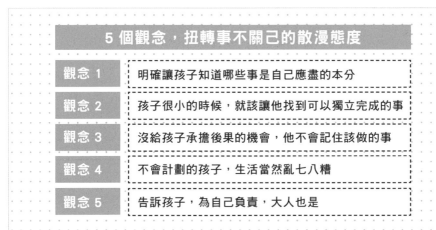

5 個觀念，扭轉事不關己的散漫態度

觀念 1	明確讓孩子知道哪些事是自己應盡的本分
觀念 2	孩子很小的時候，就該讓他找到可以獨立完成的事
觀念 3	沒給孩子承擔後果的機會，他不會記住該做的事
觀念 4	不會計劃的孩子，生活當然亂七八糟
觀念 5	告訴孩子，為自己負責，大人也是

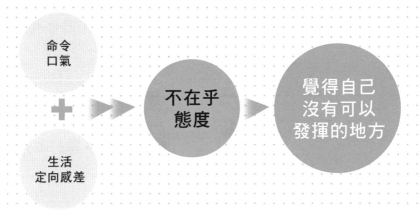

孩子不在乎，來自「總是被家長命令」

命令口氣　＋　生活定向感差　➤➤　不在乎態度　➤　覺得自己沒有可以發揮的地方

觀念 2：從孩子很小的時候，就該讓他找到可以獨立完成的事

　　從生活中做起，當孩子 6、7 個月大有「給」的觀念開始就可以建立。例如，副食品不吃了，要拿給媽媽，而不是不吃就直接離開或扔掉。大一點點的孩子，吃完水果，就該自己把餐具拿去洗。

　　把該做的步驟完成，就是一種負責。2、3 歲的孩子，在擁有自己專用的外出包包後，裡面可以簡單的放 1、2 樣外出會用到的東西，像是水壺、玩具……之類，讓他可以自己去管理，這是開始練習記得自己份內事的第一步。5、6 歲的孩子，爸媽就應該要求他，自己去準備玩具分享日的玩具，記住帶出去多少零件，就要記得自己帶回來。

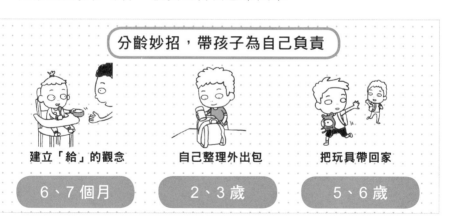

分齡妙招，帶孩子為自己負責

建立「給」的觀念	自己整理外出包	把玩具帶回家
6、7 個月	2、3 歲	5、6 歲

觀念 3：沒給孩子承擔後果的機會，他不會記住該做的事

　　幼兒園老師常分享，問孩子為何今天沒有穿運動服來學校，孩子幾乎都會回答：「我媽媽沒有幫我穿！」結果這群

小朋友升上小學後，隔天要穿運動服，還是要媽媽提醒，一點都沒有因為年紀增長，記性變好，這都是從前沒有承擔後果的結果。承擔後果雖然很丟臉，但是能讓孩子記住，也能讓孩子連結知道這件事是自己的責任，避免長大後變成無所謂小孩。

觀念 4：不會計劃的孩子，生活當然亂七八糟

有一些孩子，回家之後好像事情都跟他沒關係。仔細觀察這些孩子，你就會發現，他其實是不會計劃自己接下來要做些什麼。要改變這類孩子，爸媽需要先陪著他，將常規結

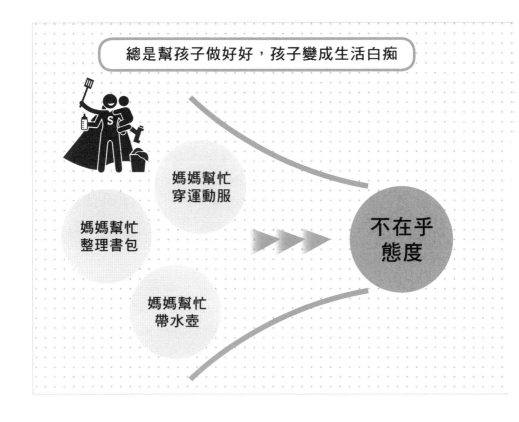

總是幫孩子做好好，孩子變成生活白痴

媽媽幫忙整理書包

媽媽幫忙穿運動服

媽媽幫忙帶水壺

不在乎態度

構化，與孩子一起討論並製作生活作息表，例如，回家後就列出放學到睡覺前該做的五件事，並和孩子討論，排出先後順序及預估花多久時間，家長也仔細聆聽他的計畫表，從旁修正引導。

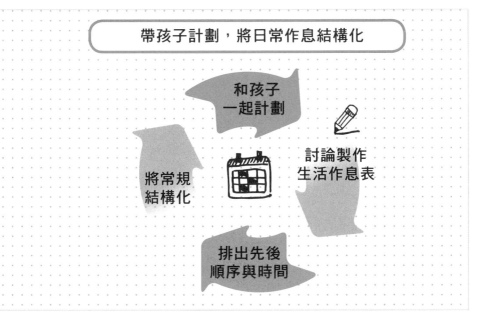

帶孩子計劃，將日常作息結構化

和孩子一起計劃

討論製作生活作息表

將常規結構化

排出先後順序與時間

觀念 5：告訴孩子，為自己負責不分大人和小孩

很多孩子會抱怨，為什麼都只有我們小孩在做事，你們大人都不用做事。這一類小孩的爸媽，其實是平常沒有讓孩子知道大人肩負的責任有多少？所以孩子會跟爸媽計較公平，總是覺得他被管，而沒有盡好本份的動機。父母要試著跟孩子溝通，用口頭的方式讓孩子知道，「媽媽今天上班雖然很累，但下了班回來，我還是有該做的家事要做，寫作業跟整理房間就是你的事，每一個人都有自己該做的事」。

有些孩子也會常常回嘴，「為什麼一定要今天做？」「明天收玩具不行嗎？」「明天再寫英文才藝班的功課不行嗎？」大人這時候需要教，如果每一天的事情，都不按部就班完成，你的工作就會累積愈來愈多，到時候一定會產生更多的抱怨，更可能做不完。

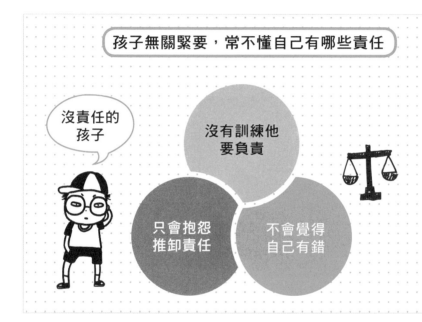

孩子無關緊要，常不懂自己有哪些責任

沒責任的孩子

沒有訓練他要負責

只會抱怨推卸責任

不會覺得自己有錯

孩子不會規劃 父母怎麼教？

很多媽媽抱怨，「孩子自己東西找不到，都要媽媽來」「孩子好像少根筋，老是忘東忘西的，要人家提醒」「考試不是不會寫，而是漏掉整大段，平白扣了好多分，氣得爸媽

快吐血」「回家，該做的事不做，凡事都等一下，好像時間很多的樣子，搞到最後才在那邊做不完、來不及」。

你家也有這樣漫不經心、無關緊要的孩子嗎？很多媽媽都會問，天呀！我的孩子到底是哪裡有問題呀？其實，他們最大的問題就是「組織計畫力不好」。

組織計畫，並非到小學以後才需要訓練，其實，從 3 歲開始，孩子就該學習！

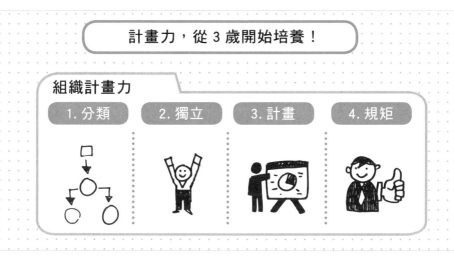

計畫力，從 3 歲開始培養！

組織計畫力

1. 分類　　2. 獨立　　3. 計畫　　4. 規矩

第一件事：分類

3 歲就應該開始教分類，這邊的分類不是要你去買一堆坊間的教具，而是從生活中的分類開始教起，譬如說家裡的襪子，每一天洗完了以後，不是都混在一起嗎？可以訓練 3 歲的小朋友，甚至 2 歲的小朋友，把一樣的襪子找出來。

分類的概念也可以衍生到玩具分類，經常聽到爸爸媽媽抱怨，「孩子玩具都不收」，這是因為爸媽都只教「收」，

學分類，為孩子的組織計劃力打下基礎

2～3歲
家裡的襪子分大小、
花色找出來

3～4歲
為每個玩具安排
自己專屬的家

5～6歲
自己的包包，不同
夾層要放什麼

對孩子而言無趣沒挑戰。把所有玩具都放到一個箱子裡，這種「收」是初階概念。對於3、4歲以上的孩子，不該只有收，要開始分類，讓玩具有他自己的家，譬如辦家家酒有自己的家、車車有車車的家、玩偶有玩偶的家……。

你可能會覺得，這重要嗎？這很重要，一個沒有習慣將身邊事物做分類的孩子，長大之後，容易成為一個凌亂、慌張的人，想想，你身邊有沒有這樣的大人呢？桌子、抽屜亂七八糟，常常在那邊找不到東西，電腦檔案一堆，沒有習慣分類，就常常找不到主管要的那份文件，才在那邊手忙腳亂，因此從小培養分類的概念是很重要的。

第二件事：獨立

從幼兒園開始，就該給孩子一個屬於自己的櫃子，而且這個櫃子裡最好還有許多的分隔，接著爸媽開始引導孩子，

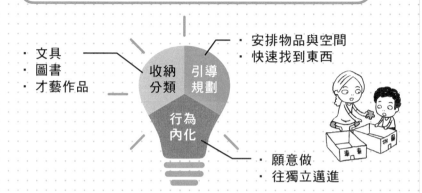

帶著孩子收玩具，是訓練他獨立自主的好起點

・文具
・圖書
・才藝作品

收納
分類

引導
規劃

行為
內化

・安排物品與空間
・快速找到東西

・願意做
・往獨立邁進

哪些東西可以收在同一個格子裡，例如，文具、畫筆、貼紙放一格；圖書館借書放一格；才藝作品放一格⋯⋯。

這個階段已經不是只教分類，而是引導孩子思考教規劃，他可以如何安排自己的物品與空間，我們不需要控制他，而是告訴他「這樣子的分類對你比較便利喔！」「你找的時間會變短喔！」「不信你試試看！」在孩子學會規劃後，爸爸媽媽也要適時驗證，請孩子先取出到圖書館借的書來閱讀，當孩子很快拿出來時，我就會跟他說：「這一次找得好快喔，這是因為你把東西收得很好，讓它住在自己的家裡。」當孩子聽到你具體的稱讚後，他會覺得「原來這樣的分類是有好處的」。當這個行為被內化後，他就會願意去做，這樣對他們發展獨立，又往前邁進了一步。

第三件事：計劃

我自己的孩子，從中大班開始，便開始請他們做計劃。假日時，孩子總是有很多事都想做、很多地方都想去，我會

讓兩兄弟兄弟先想想怎麼規劃，才有可能達成，真的不行，就自己懂得取捨。兄弟兩人有一個白板，他們會把想安排的事寫下來或畫出來，視覺化的呈現，也能讓自己反覆確認是否有漏掉的地方。

對於現在已經小二的哥哥，我們會更進階討論到時間安排。例如，如果我們想要兒童樂園開園時就進去玩，要幾點出門呢？一開始，你可能會發現孩子其實都沒有這樣的概念，在實際沙盤推演一次後，哥哥會知道兒童樂園在早上 9 點開園，從家裡出發搭公車到兒童樂園需要 45 分鐘。當他比較有概念後，他就會知道若想一開園就到達兒童樂園，我們必須在 8 點 15 分前出門。這時再問他我們幾點前吃完早餐，才能順利出門？是 8 點 15 分嗎？聰明的爸媽，你知道問題在哪裡了吧！孩子不會想到穿鞋、刷牙……等事情，這些都需要經驗的累積！因此，要孩子上緊發條做好自己想做的事，必須

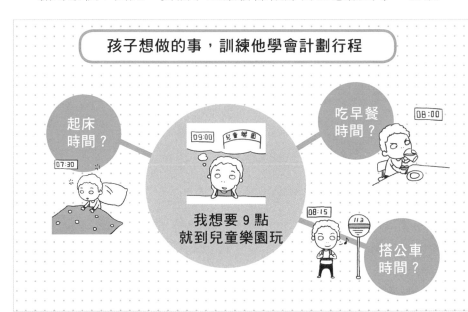

孩子想做的事，訓練他學會計劃行程

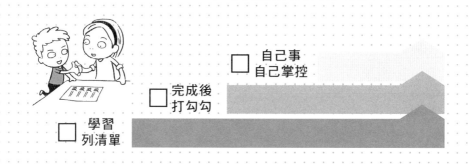

完成後打勾勾，讓孩子體會成功經驗

□ 自己事
  自己掌控

□ 完成後
  打勾勾

□ 學習
  列清單

一步驟一步驟帶著孩子思考，才能讓他真正學會計畫能力。

對於時間概念還沒這麼成熟的弟弟呢？我們會鼓勵他先用畫的把想做的事畫下來，不論畫得像還是不像，這都是他的計畫表。孩子每完成一件事情就打勾，這對孩子而言很有成就感，他會發現原來他一天可以做這麼多事，跟大人一樣，也是有工作任務的！用這樣的方式，讓孩子去思考什麼事是自己的事，自己事要能自己掌控。你說說，這樣他還會再擺出一種無關緊要的態度嗎？利用視覺化的呈現，也能間接養成孩子再確認的習慣。這不也是另一種轉換過的多元學習？

第四件事：規矩

這個階段最重要的是教孩子養成「用完的物品就要放回原位」的習慣。首先大人要先養成這個習慣，孩子才會做到。每當孩子用完物品的時候，就要請他趕快放回原位，這時前面提到的櫃子就又派上用場了，用完剪刀，剪刀就應該回到它的家；用完好寶寶的章，好寶寶章就應該回到它的家，養

成好習慣以後孩子的很多東西就可以物歸原位。你就不會常常聽到「媽媽，我的 XXX 在哪裡？」「媽媽，你幫我找我的○○○啦！」

　　家長們總是好奇為什麼孩子在學校有這些能力，回到家以後就都喪失了，那是環境的問題啊！我們應該要創造出一個可以讓孩子去分類、收納，而且可以獎勵他、鼓勵他的環境。學校教育跟家庭教育兩端若能一致，孩子就會養成好習慣，到了小學以後他就會計劃他自己的時間、計劃自己的能力和計劃自己的空間。

　　一個沒有組織與計劃能力的孩子，你會發現他也不容易細心，長大之後的課業表現不會特別突出，這是因為他不會分配時間、不知道念書的重點在哪裡，因為他不懂得什麼叫做檢查或再確認，因此漏東漏西、忘東忘西、找東找西這樣的人格特質，可能會一直跟著他。

規矩沒有起來建立，孩子怎麼可能會自律

建立規矩

學會分配與收納

養成謹慎、仔細、檢查的特質

教養的**真相** → 學不會自主規劃，無關緊要的人格特質，就會一直跟著孩子。

PART 6 冰山下的對話：自我、固執、不聽話的真相

6-1 常「怪別人的錯」的孩子
小孩遷怒，需要的五情教育

現在很多孩子很自我，例如，「總是搶別人的玩具」「想要的東西就要馬上得到」「強迫別人一定要理他，不然就生氣」，這是因為要孩子自動自發。在同理心還沒建立的階段，雖然是正常的現象，但太過自我的話也要靠後天慢慢矯正，不然就會變得很不聽話。這種學習態度，比孩子的成績重要，是未來成功人生的要素。

> ## 孩子的同理心，
> ## 需要大人提早教

　　學齡前的孩子，就可以訓練負責身邊事務。記得曾有一次帶孩子去餐廳吃飯，老大回我：「爸爸你不是常說吃飯要慢慢吃，才 20 分鐘而已耶！」老二也說：「我也還要吃，我的味噌湯都還沒喝到呢！」

　　我當時是這麼回答的：「你們說的都對，但你們邊吃邊玩時，也請你看看外面大排長龍的隊伍，每個在等的人，肚子一定都很餓。還記得有次我們等一個小時的經驗嗎？那時肚子餓等待的感覺如何？」老二回我：「很餓很餓，然後開始生氣。」接著，老大不發一語，就低頭開始吃了起來。

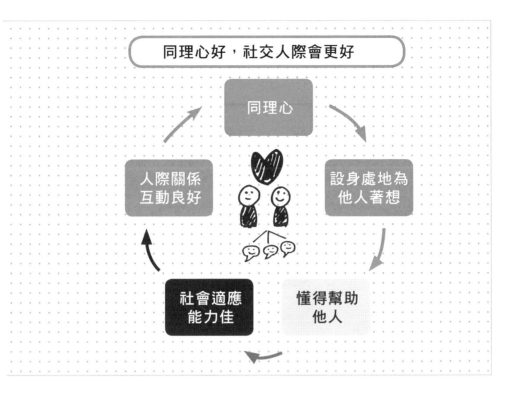

同理心好，社交人際會更好

同理心

設身處地為他人著想

懂得幫助他人

社會適應能力佳

人際關係互動良好

其實，培養一個會講道理的孩子並不難，但要教出一個有同理心的孩子卻很難。

只會講道理的孩子，雖然說話頭頭是道，但卻不會想到旁人，只想到自己；有同理心的孩子，在想到自己的同時，也會想到別人，這樣的孩子會愈大愈體貼，才是真正的懂事。

一個人與生俱來就有理解他人的能力，最簡單的例子，就是當嬰兒聽到別人哭時，自己也會開始哭。有研究發現，那些會跟著哭的嬰兒，長大後偏向有比較多的同理心。甚至有兒童行為學發現，只有 14 個月大的寶寶，就已經會嘗試主動幫成人拿取物品，幼童還會對幫助他人的成人表現出更多的好奇與喜愛，是早期的分享行為。

而且，**愈有同理心、愈懂得幫助他人的孩子，日後會具備較好的社會適應能力與人際關係**，無論是學校、社會或職場，都會有較好的表現。這跟體能與智能不同，同理心是需要學習而來的，而要孩子能設身處地的站在對方的立場去體會別人的心情，必須要經過成人的解釋與教導，才可以全面發展。

[
不光提醒孩子「不可以」，
同時也要教「同理」
]

有一次我帶孩子們去郊外踏青，現場有魚池可以讓孩子餵魚，於是，我給兄弟一人買一小盒飼料。哥哥餵完後，跑來跟我說，他還要再買一盒來餵魚。當時我和媽媽都異口同聲說：

「不可以，剛剛不是說好一人一盒嗎？」這時孩子情緒上來，生氣的說：「就再投 10 元就好啦！」眼看再多說一次「不可以」，親子間的戰爭就要爆發。

後來，我們夫妻決定蹲下來看著他說：「你看看，池塘裡的魚，假日遊客那麼多，每個小朋友都買飼料來餵，牠們都已經不吃了，換作是你，如果你已經吃不下了，爸爸媽媽還一直餵你，你會喜歡嗎？你想想，如果你已經吃飽了，我還擺了 3 碗飯在你面前的感覺。」孩子才連忙搖頭說：「那很可憐，不要了。」

教育的關鍵，並不是要孩子變得多優秀、多資優，而是要讓孩子成為一個能同理別人的人。很多爸媽都會擔心，孩子雖然能頭頭是道講道理，但說出來的話或做出來的事情，卻很傷人，又沒有感情，這也是情緒教養最重要的部分。

傾聽→講理→同理

傾聽心情

到郊外踏青，孩子餵完一盒魚飼料還想再餵一盒→先同理他的想要與不高興

解釋事情

假日遊客那麼多，每個小朋友都買飼料來餵，池塘裡的魚都已經吃不下了，換作是你，已經吃不下時爸爸媽媽還一直餵，你會喜歡嗎？

經驗投射

「吃飽時還要多吃下眼前的 3 碗飯，會有什麼感覺？」孩子明白：「很可憐，不要再餵魚了。」

現代父母該學的「五情教育」

幫助孩子培養五情教育

1	父母以身作則，成為孩子的榜樣
2	引導孩子認識情緒
3	鼓勵小孩說出自己的感受
4	多讓孩子接觸人群
5	從遊戲繪本中互動，學習同理他人

五情教育，孩子成長發展的關鍵

| 同情 | 親情 | 表情 | 友情 | 溫情 |

← 體諒與感動 →

五情教育是指「同情、親情、表情、友情與溫情」，這些是孩子成長發展的關鍵，也是培養出能體諒別人、能感動別人的重點。至於要怎麼做呢？

父母以身作則，成為孩子的榜樣

　　2～5歲是發掘與培養孩子同理心的黃金時期，應該多讓孩子與同齡小孩多接觸，在與同年紀的人的矛盾（哭哭鬧鬧）中，明白別的小朋友也有自己的愛好與喜怒哀樂。

　　另一方面，父母是孩子成長的榜樣，所謂「言教不如身教」，道理說的再多，都不如父母以身示範來得有效。尤其現代父母多是「低頭族」，或用手機教小孩，不但大部分時間都耗在手機上，也忽略了親子間的親密互動時間。一旦孩子需要父母關心卻受到冷落、忽略，自然會造成情緒上的起伏與不安。孩子的情緒若不穩定，心情就愈糟糕，愈會把注意力放在自己身上，變得凡事只想自己，而忽略周遭的人與事。

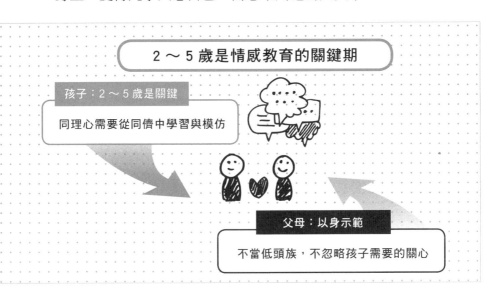

2～5歲是情感教育的關鍵期

孩子：2～5歲是關鍵
同理心需要從同儕中學習與模仿

父母：以身示範
不當低頭族，不忽略孩子需要的關心

引導孩子認識情緒

在教導孩子懂得體諒別人的感受前，首先要讓他認識不同**情感的意義**。爸媽可以針對小孩的行為來說明，解釋每個行為帶來的情緒反應。例如，當孩子替你受傷的手指呼呼時，你可以說：「你幫我呼呼喔，好體貼唷！」小孩就會從你的反應知道自己的行為得到認同。

負面的情緒也需要有人理解，所以不要害怕指正小孩的不體貼行為，你可以溫柔堅定的告訴他：「你剛剛說話口氣好兇，媽媽好傷心、很害怕。」要清楚的讓他知道，這種行為會帶給別人不同的感受。當然，也可以透過遊戲或繪本幫助孩子了解各種情緒的不同。

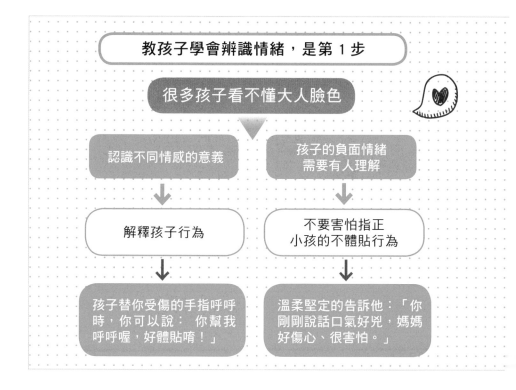

教孩子學會辨識情緒，是第 1 步

很多孩子看不懂大人臉色

認識不同情感的意義

孩子的負面情緒需要有人理解

解釋孩子行為

不要害怕指正小孩的不體貼行為

孩子替你受傷的手指呼呼時，你可以說：你幫我呼呼喔，好體貼唷！

溫柔堅定的告訴他：「你剛剛說話口氣好兇，媽媽好傷心、很害怕。」

鼓勵小孩說出自己的感受

　　孩子或許不懂每個情感背後的原因，但當他們說出心裡感受時，父母必須認真聽，讓他知道我們很在乎他的感受。若年幼的孩子說不出感受時，也可以用情緒卡，鼓勵他們說出當時的感覺。平日家長自己也可說出對孩子的感覺，讓他知道成人一樣有情緒，如何去應對負面情緒更是必須學習的課程。

　　生活中也可多與孩子討論、溝通，幫助了解情緒與感覺的不同，**同理心的表現過程就是先具備察言觀色的能力，接著再解讀對方情緒，最後才能產生同理的行為表現。**

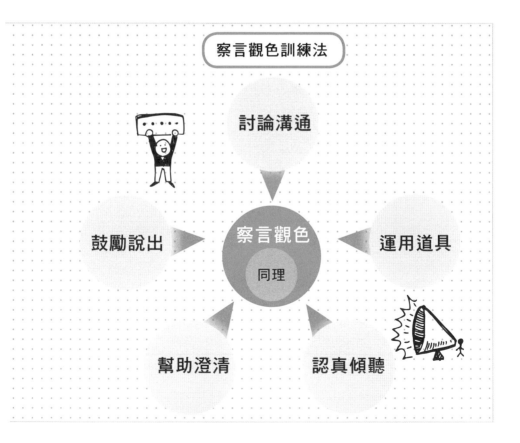

察言觀色訓練法

討論溝通

鼓勵說出　　察言觀色　同理　　運用道具

幫助澄清　　認真傾聽

多讓孩子接觸人群

多讓孩子與人群接觸互動，從生活中累積同理經驗，也是個好方法。

平日可多帶孩子去公園、親子館，當孩子觀察到其他小朋友因玩不到遊樂設施而難過時，你可以幫他描述出感覺，好比說：「我想那位小朋友玩不到遊樂設施一定很難過。」

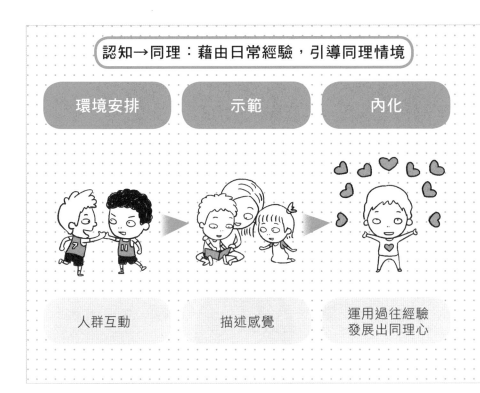

藉由日常生活中的經驗，引導孩子同理他人的情緒，當他日後遇到類似狀況時，就能運用過往的經驗，發展出同理心。

從遊戲繪本中互動，學習同理他人

有些小朋友的自我中心意識很強，爸媽可運用繪本來教導他認識感覺，透過角色扮演遊戲，讓孩子學習站在他人的立場思考。角色扮演遊戲是培養同理心最好的方式，例如，孩子與玩偶進行角色扮演時，藉著不同角色間的對話與互動，孩子可以有機會轉換不同角色，練習以他人立場表達感受。

繪本教育，是同理心訓練好工具

親子共讀　　　情境學習　　　換位思考

機會教育

「分享」主題繪本

練習表達感受

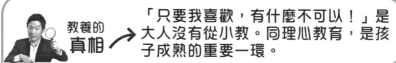

教養的真相 → 「只要我喜歡，有什麼不可以！」是大人沒有從小教。同理心教育，是孩子成熟的重要一環。

6-2 無法抵抗誘惑的孩子 3 階段訓練孩子自制力

美國研究發現，3 歲半的孩子，如果從大人那兒學來的是「不遵守約定」「說話不算話」，接下來他就會變得更執著於立刻得到滿足，所以會常聽到：「我說要，就是現在馬上要！」被這樣教大的孩子，長大後會變得不能等待、自制力差、而且物欲很高。

大人說話不算話，
孩子就會不遵守承諾

棉花糖實驗，看出孩子的自制力

等待獎勵

等我回來再多給1顆，

等待，
不吃棉花糖

・高社交力
・高專注力
・高自信心
・高抗壓力

會等待的孩子有較優秀的表現

《每日科學》曾做過研究，幼兒在 2 歲前的行為深受基因影響，但當滿 3 歲後，自我控制能力就與所處的環境有莫大的關聯性，自制力會受到父母的教養方式與應對方式有所不同。原來，**孩子能不能控制自己，深受大人的教導影響。**

　　在《棉花糖的誘惑》一書裡，作者心理學家沃爾特・米歇爾（Walter Mischel）提到著名的棉花糖實驗，也可以稱作延遲享樂實驗。研究人員給幼兒園兒童棉花糖，同時也給了他一個選擇：「你可以立刻吃掉棉花糖，或者是等我回來後再吃，不過如果你等到我回來後才吃棉花糖的話，我會獎勵你，再給你 1 顆棉花糖。」

　　研究人員持續追蹤這些透過實驗的孩子，發現願意等待的孩子，在他們 14 歲時不但社交能力較高，自信心較強，也有較高的專注力、抗壓性也高、行為舉止都很理想，當然學業成績也都優秀。

　　雖然後來有科學家認為，棉花糖理論的研究設計不夠嚴謹，但我在教育現場發現，願意等待的孩子，的確學習效率比較高，行為問題也較少。因此訓練孩子自制力非常重要。

　　有趣的是，另一個由美國心理學家基德（Celeste Kidd）所設計的新棉花糖實驗（賽局教養法），也有不同的發現。在進行實驗前，先讓每位受試兒童有時間判斷這個研究人員是否值得信任，結果發現，對研究人員感到失望的組別相較於遵守承諾的研究人員組，受試兒童平均等待的時間短了 3 分鐘。這意味著，3 歲半的孩子，就已經學習到：「如果大人不遵守約定，那麼我就該執著於需求的立即滿足，也就是說『我就是要現在』。」

新棉花糖實驗——信任大人的孩子願意等待

大人「不遵守約定」 ▶▶ 孩子執著「需求立即滿足」 ▶▶ 表現出「我就是要現在」

自制力不足，容易跟風，被流行綁架

其實不只是小孩，包括你跟我，以及所有的父母與大人，都應該檢視一下自己的自制力。自制力不足的人，很容易迷失在衝動與情緒激動之中，後果就是，很容易被人情緒勒索。

商人最喜歡利用的「大家都有，我也要有」心態。在看了名人或直播主的臉書、部落格分享後，發現「咦！這個商品好像很多人買耶，這麼多人買應該真的很好吧！那我也買來試試好了。」結果下單後，卻發現買回來其實不適合，於是，家裡就積滿了成山成堆的用品。

跟許多父母一樣，我也曾經用獎勵來鼓勵孩子的好表現，答應他只要有表現，就可以到書局買他最愛的貼紙，書局的貼紙單價都不便宜，但因為是獎勵，孩子很開心的買回來後，通常很快就貼完了。每次我都會跟他討論溝通貼紙的價值，1～2

自制力不足，會迷失在情緒風暴中

自制力
不足

容易被人
情緒勒索

迷失在
情緒風暴

運用漸進法，分階段建立孩子的自制力

階段一
用獎勵鼓勵孩子的好表現

階段二
累積小獎勵額度，換取更大的獎勵

**學習自制力的「前額葉」，
需要家長幫孩子用心塑造**

次後，我覺得應該可以引導孩子思考，是不是可以等待、用累積來換大禮。

有次我跟孩子溝通：「其實兩次貼紙的錢就能買大富翁桌遊，而且桌遊可以很多人一起玩、一直玩，不像貼紙一下子就貼完了。」孩子想了想，真的決定這次不買貼紙，省下來等到下一次買大富翁。隔一段時間後，我再問他，他也很開心自己當初的決定。

我要說的是，每個人天生都具有學習自制力的能力，因為我們的大腦具有優於其他動物的「前額葉」，它是自制力的神經生物基礎。但**自制力需要你的塑造，否則前額葉是不會自然形成的！**

尤其，現在社會誘惑愈來愈多，性、毒品或其他可能損害健康的食物與用品等，如果不在孩子還小的時候就引導自制力，更別期望到了小學、青少年階段，容易受到同儕影響的年紀，要改就更難了！

孩子交不到朋友，會用物質換友誼

孩子進入幼兒園後，就會愈來愈重視同儕，不只想交朋友，也在乎朋友怎麼看他。5 歲以上的孩子，社交發展已經進入「友誼建立」期了，他會想要跟同學一起玩，也希望同學找他玩。甚至會有一種情緒：「同學有的，我沒有就跟不上別人」或者是「我有同學沒有的玩具，代表我比較厲害」的優越感。

5 歲以上，「友誼建立期」的錯誤人際行為

強迫人家
跟他玩

弄人家、
吸引注意力

5 歲孩子的
交友慣用招

團體中搗蛋

用物質去換

擁有玩具對他來說，是一種可以立刻融入群體且獲得優越感的超級重要「社交神器」，怎麼能少呢？

只是，當孩子經常抱怨「我沒有朋友」或「只有誰誰誰是我的好朋友」時，買個指尖陀螺給他，就能幫助他遠離社交窘境嗎？答案也許是肯定的，但這種關注只是曇花一現，來得快去得也快，孩子並沒有真正學會「獲得友誼」的內在關鍵，可能過一陣子，他又吵著要買更高級、更炫的玩具了。

5 歲孩子要發展出的 5 大社交友誼力

1 同理心：知道「己所不欲、勿施於人」

2 互助力：知道我現在犧牲一下自己的小利益，可以讓群體獲得利益，包括我自己

3 溝通力：知道「溝通」可以達成「共識」，打架吵架的結果通常會讓雙方利益都被剝奪

4 權威感偵查力：能夠理解群體內是否存在「權威者」，例如，老師或父母，進而配合權威者的期待

5 自制力：在沒有權威者的環境中，能夠依循一些簡單社交原理，控制自己的行為，好比說不傷害人，也懂得保護自己

教養的真相 → 3 歲半的孩子，就已經學習到：「如果大人不遵守約定，那麼我就是該執著於需求的立即滿足——喊出『我現在就要』。」

6-3 「警告」都不怕的孩子
父母處罰時機

我們常說對孩子要用「愛的教育」，「溫柔而堅定」的語氣，去理解孩子的感受，而不是毫無理由的堅持。但教養時，父母總是要用吼的，才能讓孩子聽話，吼完了，大人都很後悔「他只是個孩子」，到底該怎麼辦呢？

> 不要幫孩子找藉口，
> 溫柔而堅持是
> 建立規矩的不二法門

　　有沒有遇過全家人在餐廳用餐，孩子不聽勸的跑來跑去，怎麼說都不聽，這種情況下，該如何做到「溫柔而堅持」呢？

　　無論是自己的孩子，或者看到別人家的孩子在餐廳裡跑來跑去，大人多半都會受不了。很多人會說：「他只是個孩子嘛！幹嘛那麼計較。」但這想法並不正確，就算孩子再怎麼小，都有一些規矩需要建立，大人不能一直幫孩子找藉口，否則，只會造就他日後會成為缺乏自省能力的人。

建立孩子「思考」與「自省」的能力

1	事先預告	讓孩子懂得控制自己	
2	再次提醒	孩子與我們共同制定的規則	反省能力，決定孩子未來成功不成功
3	制定處罰	接受雙方共同訂定的處罰	
4	執行處罰	堅守原則，才能建立規矩	

步驟 1：事先預告

　　帶孩子外出去餐廳用餐前，出門前一定要先預告，如果不預告的話，他不會知道接下來要去哪裡？會遇到什麼事情？會發生什麼狀況？畢竟他還小，經驗不夠，不能事先設想餐廳的情況是什麼。這種時候，我會事先告訴孩子：「待會要去吃飯的地方不是親子餐廳，所以會有很多人端湯、端菜，如果在那裡亂跑的話，很可能會被燙傷。我相信你到了餐廳之後，一定會乖乖坐好。」

　　很多家長也會預告，但預告的內容卻是：「等一下進餐廳的時候，你就是不要跑，如果吵鬧的話，我會修理你！」這句話乍聽之下也是預告，聽起來是警告，但卻沒讓孩子知道，為

什麼你不希望他跑。父母在跟孩子溝通時，一定要把話說清楚，要完整的告訴孩子：「我是不希望你受傷，或造成別人困擾，才不讓你跑，而不是只想限制你。」

教養狀況題：預告 ≠ 警告

 預告式口氣

待會要去一間餐廳，會有很多人端湯、端菜，如果在那裡亂跑，很可能會被燙傷。我相信你到餐廳之後，一定會乖乖坐好

 警告式口氣

等一下進餐廳的時候，你就是不要跑，如果吵鬧的話，看我會不會修理你！

步驟 2：再次提醒

　　別以為事先預告後，孩子進了餐廳就會如你所願的乖乖坐好，大多數的孩子到外面就像脫了線的風箏一樣，還是三不五時地跑跑跳跳，這時候該怎麼辦呢？我會用堅定的語氣去提醒他（請注意不是生氣的口吻）：「孩子，媽媽不是跟你說過不可以跑嗎？你看著媽媽，你現在是在跑嗎？為什麼呢？我們一起約定的事情，你為什麼沒有做到？」

　　在提醒的時候，我一定會握著他的手跟他四目接觸好好的跟他說，提醒他這件事是我們約定的，而不是限制，這樣可以讓他自省，認為自己「確實是沒做到約定」；不要用生氣的語氣謾罵，光說一些要修理他、要走了、再也不帶他出門等等的

話，這些話一點幫助都沒有。

步驟 3：制定處罰

如果做了上面兩步驟，孩子還是亂跑呢？記得要先訂定處罰方式。好比說，剛才用四目交接的方式說完「你現在還在跑嗎？」那一段話後，接著就要訂定處罰，「如果沒有做到我們的約定，等等你就必須要到旁邊罰站，或者回家後少看一個喜歡的影片、少了一個下次一起出去玩的機會⋯⋯。」

也就是說，在第二步驟提醒時，就要跟他約定處罰的方式，而不是父母單方面想著回去要好好修理他或什麼的，這個步驟相當重要。

步驟 4：執行處罰

很多家長雖說會處罰，但都是說了就算了，有些只是嚇唬一下孩子，等到下一次又忘了；或是明明跟孩子有了約定，但卻不遵守這些約定，然後一直周而復始，這樣當然無法建立規矩。

父母必須要讓孩子知道，**約定好的規矩或處罰不是說了就算了，必須要說得到也做得到，這能幫助你建立下一次定規矩的威信與權威**，否則，孩子會認為：「反正媽媽只是說說而已。」總之，要當個有信用的父母，才能讓孩子從你身上也學到信守承諾這件事，這是身教的第一步。

所以訂下規矩後，就必須要確實執行，當然，執行處罰前，也要讓孩子知道是因為哪件事情而被處罰，例如：「因為你沒有做到不在餐廳內亂跑，所以這次我們就不出去玩了。」在限制的當下再次提醒孩子，這才能讓他有反省思考。**沒有提醒就直接處罰，孩子不會記得為何被處罰，是種短效的教養。**

教養中，讚美與處罰對孩子是一樣重要的。好規矩，是需要從小訓練的，然而孩子能不能建立好規矩，與大人會不會輕易妥協，有很密切關係的，別輕易找藉口說：「孩子還小不懂事了！」

教養狀況題：堅守原則與執行處罰

堅守原則	在限制的當下再次提醒孩子，這才能讓他有反省思考	▶	執行處罰	執行處罰前，也要讓孩子知道是因為哪件事情被處罰

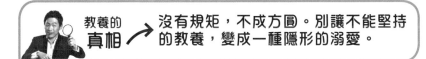

教養的**真相** → 沒有規矩，不成方圓。別讓不能堅持的教養，變成一種隱形的溺愛。

6-4 被捧上天的孩子 藏著教養的陷阱

「你好棒喔!」「你真聰明!」「真的好厲害呀!」做父母的都知道要多稱讚孩子,才能讓他們更有自信,但是你知道讚美也是有技巧的嗎?

讚美方式不同,
養成不同性格的孩子

稱讚孩子「努力」與「用心」,會讓他勇於接受挑戰

基本智力測驗	第二次測驗	研究發現

第一階段研究
對孩子讚美方式的不同,最後會是什麼結果

| 將孩子隨機分「讚美成績組」「讚美努力組」兩組 | 孩子自己選擇題型 ·困難版 ·簡單版 | 「讚美成績組」▶讚美成績有不良影響「讚美努力組」▶讚美努力讓孩子勇於挑戰 | X 讚美成績有不良影響 ◯ 讚美努力讓孩子勇於挑戰 |

很多大人讚美孩子時，常常無極限，這很容易讓孩子現實感差，自己覺得很厲害。等到進入真實社會中，不但適應力變差、耐挫力也不好，反而會教出個性很急的孩子，甚至出現不願意勇於嘗試的性格！

美國一所大學曾做過研究，研究者找來 400 位小朋友，共進行 4 次測驗，想藉此了解對孩子讚美方式的不同，最後會形成什麼樣的結果。

首先，第一次採基本的智力測驗，該測驗結束後，隨意將孩子隨機分成兩組，並沒有按照成績特意區分。之後，實驗人員對這兩個組別分別用不同方式讚美：一組稱讚他們的考試結果，用了「考的好棒、好聰明」的詞彙，這組稱為「讚美成績組」；另一組則是稱讚他們「過程好努力、好認真」，這組稱為「讚美努力組」。

接著，實驗人員又對這兩組孩子做了第二次的測驗，但本次測驗能讓孩子自己選擇不同難度的考題，一種是困難版，目的要「讓孩子有學習與成長的機會」；另一種則是簡單版，目的是「相信你一定會做得很好」。結果發現，在讚美努力組中，有 92% 的孩子選擇了困難的考題。

第一階段測試結束，實驗人員發現，當稱讚孩子很聰明、很棒時，他們會認為是因為結果，大人才稱讚他的，這時若孩子發現自己可能無法完成任務時，就得不到大人們的肯定與讚美，因此選擇了簡單的考題。長久下來，這類型的孩子會給自己畫下界線，面對問題也會選擇逃避，日後可能會限制自我潛力的發揮。

相反地，**當大人稱讚的是孩子在過程中的努力與用心時，**

他們會發現「原來父母有看到我在過程中的努力與付出，」進而會更願意用心面對問題、解決問題。這類孩子將來在面對困難時，多半也不會逃避，反而會勇於挑戰。

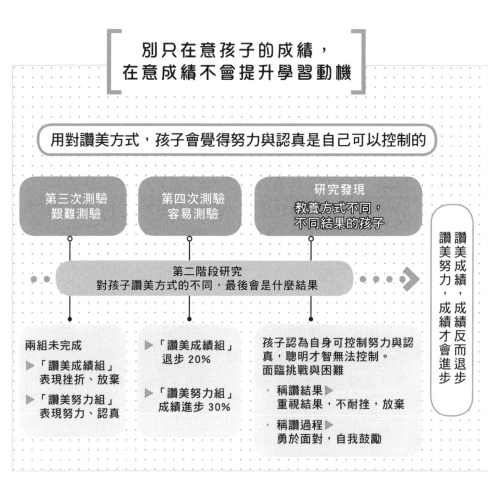

別只在意孩子的成績，
在意成績不會提升學習動機

用對讚美方式，孩子會覺得努力與認真是自己可以控制的

第三次測驗 艱難測驗	第四次測驗 容易測驗	研究發現 教養方式不同， 不同結果的孩子

第二階段研究
對孩子讚美方式的不同，最後會是什麼結果

兩組未完成
▶「讚美成績組」
表現挫折、放棄
▶「讚美努力組」
表現努力、認真

▶「讚美成績組」
退步 20%

▶「讚美努力組」
成績進步 30%

孩子認為自身可控制努力與認真，聰明才智無法控制。面臨挑戰與困難
• 稱讚結果▶
重視結果，不耐挫，放棄
• 稱讚過程▶
勇於面對，自我鼓勵

讚美成績，成績反而退步
讚美努力，成績才會進步

實驗人員接著進行第二階段的實驗，也就是第三次的測驗，這次給的考題相當困難，兩組孩子幾乎都沒辦法完成，但結果竟然有很大的差異。

讚美努力組在面對困難的、不可能完成的測驗時，表現得更努力、更認真，也願意花更多時間以享受測驗的過程；但讚美成績組，在面對不可能完成的任務時，則表現出很挫折、且很容易放棄的態度。

經過這次困難的測驗後，實驗人員又給了第四次的測驗，這次的考題相當簡單，程度類似第一次測驗，結果卻意外發現：當這兩組孩子面臨到超級困難的測驗後，再給予簡單測驗時，不同組別的孩子成績有相當大的差別。讚美努力組的成績進步了 30%、讚美成績組則退步了 20%，兩組的成績竟然前後差距了 50%。

這個實驗充分展現出，不同教養方式會養出不同結果的孩子。研究人員解釋其中的差別在於：孩子認為，努力與認真是自己可以控制的，但聰明才智是無法控制的，所以，當他面臨挑戰與困難時，父母若只稱讚他「很聰明、好棒、考的這麼好」時，孩子會只重視結果，更不耐挫，日後也就不知如何去面臨挫折與挑戰，久了之後，自然不愛學習。

相反地，經常被稱讚很努力的孩子，即使未來遇到困難與挑戰，也可以勇於面對，因為他會自我鼓勵。因此，當孩子做出一個很好的行為時，一定要稱讚過程有多努力，而非結果有多好。

社會性讚美，比物質獎勵更能將好行為內化

許多父母，在面對孩子表現好的時候，會給予物質上的獎勵，這時就要相當小心。其實，有時只要給他一個大大的擁抱、掌聲給他鼓勵，或者靠近孩子說，你知道他可以做到，都會比物質的讚美，更能把好行為保留下來。

6 個實用的「社會性讚美」妙招

1	給孩子擁抱
2	真心誠意，而且四目相交的給孩子口頭讚美
3	全家人給孩子拍拍手鼓勵
4	用不同的語調，驚喜的情緒，跟孩子互動
5	告訴孩子，你因為他的好行為，變得好開心
6	告訴孩子，他的聽話，是弟妹很好的模範

也許有父母會問，如果本來就是孩子該做的，也需要讚美嗎？我認為，還是需要鼓勵。若是擔心孩子會變成不讚美就不做時，只要多注意讚美的主題與目的就好。而且，讚美要發自內心才有用，**4 歲以上的孩子，就能知道大人是否是真心的讚美**。基本上，我們是希望孩子可以從大人身上學習「正面思考」，孩子覺得：「爸媽有看到我的優點」，就能安心又有自信的成長

適性讚美，讓好行為內化

哪些讚美的話，千萬別對孩子說？

這麼棒，你是永遠的第一名	→	讓孩子得失心重
好了不起喔！我們都不會耶	→	讓孩子自我感覺良好
你真是天才！馬上學馬上會	→	讓孩子粗心大意
妹妹真乖！不像哥哥	→	讓手足更競爭

不同氣質小孩，要用不同讚美方法

內向的孩子	→	讚美他的勇氣
大而化之的孩子	→	讚美他的貼心舉動
愛撒嬌的孩子	→	讚美他自主的能力
自我中心的孩子	→	讚美他的同理心與分享

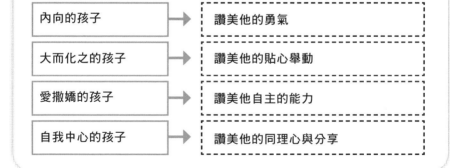

教養的 **真相** → 讚美孩子最簡單及有效的，就是「謝謝你」「你真是小幫手」「我好高興哦」這 3 句話。這些讚美，才會內化。

6-5 用搗蛋行為，吸引人注意的孩子 小心是「沒自信」的表現

你有沒有發現，小孩有時很奇怪，明知道會被罵，仍經常在挑戰你的底線。

「我已經說過不可以在家裡玩球了！你到底要我講幾遍？」或者「哥哥，你為什麼又咬弟弟，你不知道不可以咬人嗎？」這些劇情在你家是不是也常常上演？孩子到底怎麼了？老是愛挑戰大人的底線？是因為他搞不清楚狀況？還是想吸引你的注意力？

> ## 小孩心態：就算被罵，
> ## 也是一種關注

2～6 歲小孩，挑戰底線大揭密

2 歲	發現行為可以控制大人反應
3 歲	要大人關心他
4 歲	刷存在感，證明可以不一樣
5、6 歲以後	自信不足，沒有表達空間

有一位媽媽跟我說，她每次要寫稿時，都會要孩子自己先好好玩，但孩子都不聽，還一直吵她、煩她，有一次還把她快寫完的稿子刪掉，「真的很想給他巴下去！」到底為什麼明明講了好幾遍，孩子也知道不可以，卻寧願要討罵、要挑戰媽媽的底線呢？

孩子天生就需要大人的關注與讚美，大多數的孩子也很擅長用方法吸引大人的注意力。只是，媽媽會想：那我給他的注意力是太多？還是太少？

每個人心中的尺都不一樣，重點是別讓孩子從「想要」注意力變成「需要」注意力，只要孩子沒有獲得足夠的注意力時，他們就會用「發脾氣」「爆發」「不斷的嘮叨」「挑釁」或有其他令人生氣的行為表現。

因為孩子心裡想的是：「假如我表現好你們都沒注意到，那我就要表現不好，你們才會注意我！」這就是心理學上常用的「用錯誤行為尋求注意力」，如果不好好處理這種行為，日後孩子可能衍生出更多的脫序行為。有些注意力缺損過動症（ADHD）或對立性反抗症（ODD）的孩子，就常被學者認為有注意力尋求的狀況。

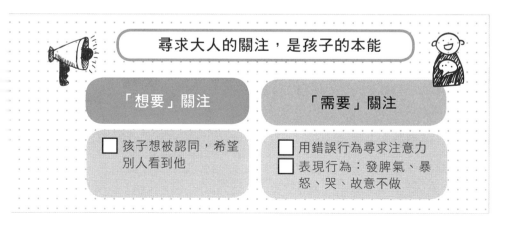

尋求大人的關注，是孩子的本能

「想要」關注
- ☐ 孩子想被認同，希望別人看到他

「需要」關注
- ☐ 用錯誤行為尋求注意力
- ☐ 表現行為：發脾氣、暴怒、哭、故意不做

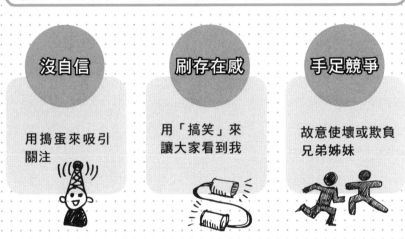

搗蛋被關注，
代表我有被看到

孩子不是不乖，是想說「爸爸、媽媽，請多關心我！」

沒自信	刷存在感	手足競爭
用搗蛋來吸引關注	用「搞笑」來讓大家看到我	故意使壞或欺負兄弟姊妹

還記得在「講不聽的真相」裡提到的「大腦的獎賞網絡」嗎？孩子在一、兩歲時，就會利用這套系統，做一些吸引大人注意力的事情，他們從小就發現：「我的行為可以控制大人的反應」，這樣的能力讓他們覺得有趣，也是照著大腦獎勵的機制走。之後，隨著年齡愈來愈長，孩子就愈來愈能夠從其他遊戲中得到成就感，這些故意吸引他人注意來滿足自己的行為也就會相對減少。

我常聽到媽媽會問：「我下班後時間都陪他了，為什麼小孩還是一直用搗蛋來吸引關注呢？」這種現象比較會發生在5～6歲以上的孩子，這類孩子不是孤單，而是內心深處比較

沒有自信，盡管妳可能在外在表現上並沒有發現，他是想證明自己的存在。

有些孩子則表現在細微的地方，好比說經常忘東忘西、能力不足，又不想讓人發現被嘲笑時，在學校時就會表現出愛搞笑、誇張像小丑般地吸引別人的注意力，用「自己有本事讓大家哄堂大笑」的行為，來證明自己的存在價值，盡管做的行為可能並不適切。

又或者，因為有手足間的競爭，孩子們彼此爭寵吸引大人關注，因此故意使壞，明明知道結果一定會被修理得很慘，但對他來說，已經得到了大人的注意力，這也是一種存在證明。只是，如果長期使用這種方式，永遠也沒辦法填滿他空虛的心，久而久之就會出現：對於被關注永遠不滿足、表現不適切的行為來贏得父母和同儕的注意，或有愛搞破壞、愛煩人等惱人行為。

［ 正確關注孩子的方法，能改善親子關係 ］

父母對孩子的關注，可以分成 3 種：正向注意力、負向注意力、刻意忽略，此 3 種關注行為，對孩子有不同影響。

當孩子表現出好的行為時，父母給予關注或讚美，這時孩子得到的就是「正向注意力」，它可能是一個抱抱、一句稱讚或鼓勵、

對孩子的關注，用的是哪種方法？

	爸媽反應	孩子影響	親子互動
正向注意力	表現出好的行為時，父母給予關注或讚美	能促使孩子表現更多好的行為	抱抱、稱讚、鼓勵或親暱舉動
負向注意力	表現不當行為，父母感到生氣而給予的注意力	大人沒有減少這類注意力，反而強化孩子的不當行為	威脅、審問和說教
刻意忽略	不關注孩子發生的事	不代表完全不理，而是不針對這個事件做回應	轉移孩子的注意力到其他事情

一個親暱舉動等回饋。都可以讓孩子表現更多更好的行為。

　　如果孩子是表現出不當行為，父母因為感到生氣而給予注意力，通常就稱為「負向注意力」，它通常包含威脅、審問與說教。別以為這時你給的是懲罰，對孩子來說卻是獎勵，你並沒有減少他的負面行為，反而是強化了這種行為。

　　就好像兄弟倆安靜的在房間看書，半小時過去，當爸媽暗自開心著「孩子終於長大懂事了」，突然就聽到：「爸爸，弟弟搶我東西！」「媽，哥哥打我！」於是你們開始進去處理紛爭，但在前半個小時內，卻沒有進

去說過：「哇，你們兩個好棒，可以一起安靜看書呢！」出現這種騷動，爸媽才會出現的狀況，就是給了孩子負向注意力。

從這些負向注意力，孩子學到的是：「我要惹麻煩，才能中斷大人正在忙的事情來關注我，才可以控制大人。」祕密就在於，當孩子有適切行為時，我們經常認為理所當然，吝於稱讚，只有在他們出現錯誤行為時才去關注。

至於刻意忽略，則完全不關注正在發生的事。其實，**面對孩子尋求注意力的不當行為時，「刻意忽略」反而比「負向注意力」更好。**這不表示完全不理會，而是不針對這個事件做回應，這時父母要做的是，轉移孩子的注意力，做球給孩子，讓他產生好的行為表現，給予正向注意力。

孩子愈壞的時候，就是愈需要大人專心的時候

不想再當吼吼媽，記得要先對孩子賞罰分明

自我成長

鼓勵、誇獎：好的行為才會內化

自我放棄

凡事責罵：孩子容易沒自信，沒安全感，認為爸媽不在乎他

想想看，你是不是一天稱讚孩子的次數比罵他的次數還多？孩子經常被罵，除了會讓他沒自信外，也會沒有安全感，認為爸媽不在乎他，導致他用搗蛋的方式，引起關心，藉此感受「爸爸媽媽還是在意我的」。

　　民主式教養的真諦，是要賞罰分明。孩子表現好要鼓勵他，孩子好的行為才會內化。該誇獎時，不吝惜誇獎，當孩子出現行為問題時，也別急著生氣開罵。了解孩子行為背後的原因，比一直糾正行為更重要，能做到這些，就是好父母！

 教養的真相 → **大人不懂的小孩心態：「就算被罵，也是一種被關注！」**

6-6 不讓人幫，就是要自己來的孩子
孩子主見強，父母的介入技巧

很多人說：「小孩長大就懂爸媽的苦心，會愈來愈聽話。」可是……我家小孩怎麼不一樣？愈大反而主見愈強，都不能接受大人的建議？大人又不會害他？

面對孩子過強的主見，父母要放下成見

主見強的背後心理	
行為訊息 1	心中已有定見及次序感太強
行為訊息 2	好奇心重，很想追根究柢

有個 3、4 歲的孩子，玩完遊戲，被媽媽叫回家時，耍賴不想走，還大聲嗆媽媽說：「你每次都不聽我的，你每次都不讓我玩很久，我還沒有玩夠。」但媽媽不想聽他說完，立刻回說：「哪有每次？我上次不是還有多給你 5 分鐘？你愈大愈不像話，立刻給我走！」

看到媽媽氣急敗壞，我連忙緩頰，請兩邊都冷靜一下，因為這情況就是硬碰硬，失去了教養的焦點，淪為辯論是不是「每

次」。媽媽問我：不該堅持嗎？我說：「當然要呀！可是也得讓孩子服氣才行。」孩子現在聽不進去，就算服你，也只是一時的，但這並不會改變他這個壞習慣。

心中已有定見及次序感太強

孩子 3 歲以後，還會延續 2 歲時期的不要情緒行為，證明自己已經長大了，是認知發展的歷程之一。接下來，在他的心中，會開始有自己的順序、步驟、先後的認知，認為自己就是對的，這就叫做「發展次序期」。

要改變這種先入為主的想法及行為，其實很簡單，大原則只要讓孩子覺得：跟著我做比較好玩、跟著我做你會比較開心、跟著我做你會得到更多的好處。

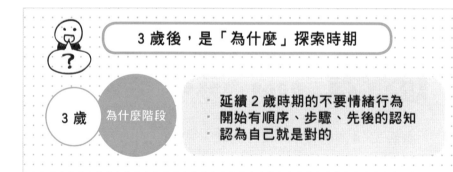

3 歲後，是「為什麼」探索時期

3 歲　為什麼階段
- 延續 2 歲時期的不要情緒行為
- 開始有順序、步驟、先後的認知
- 認為自己就是對的

好奇心重，很想追根究柢

爸媽應該有聽過，3 歲以後就進入了「為什麼」階段，凡事都先問為什麼，這其實跟主見變強很有關係。小孩會想去冒險，不想跟著單調或重複的規則，這是好事；他會想去知道原

因，這樣才能滿足自己，如果被大人禁止，這些心理狀態，就不能得到滿足了。

於是，為了要得到更多，孩子就想捍衛自己求知的欲望。不過因為他還小，方法當然不見得用對，只能拿出自己最擅長的武器，例如：鴨霸不給、打死不走、哭給你看、跑給你追等功夫，都是因為他練功還沒完全。

4 歲開始，是「創造意見」時期

4 歲	創造階段

- 想去冒險，不想跟著單調或重複的規則
- 想知道原因，才能滿足自己
- 捍衛自己求知的欲望

冰山上的行為，並不是孩子內心真正的想法

父母必學，與孩內在冰山對話

冰山對話術 1	完整預告讓孩子懂
冰山對話術 2	需要親子有耐心的具體演練
冰山對話術 3	簡單解析對方的心情
冰山對話術 4	鼓勵孩子找時機再試試看
冰山對話術 5	分享自己的經驗

當然，主見變強沒有不好，只是我們怕他會學到壞的經驗，或養成壞習慣，如果這種強勢經驗太多又容易得逞，會讓孩子的價值觀混淆、行為退化，凡事覺得他最大，這樣一來，控制欲及指揮欲可能會愈來愈強。這其實有 5 個教養步驟可以解套，你一定要知道。

冰山對話術 1：完整預告讓孩子懂

3 歲開始，孩子可以聽懂的話會愈來愈多，要讓他服氣，就要順著他的「為什麼」來教，不能只給規定的指令。

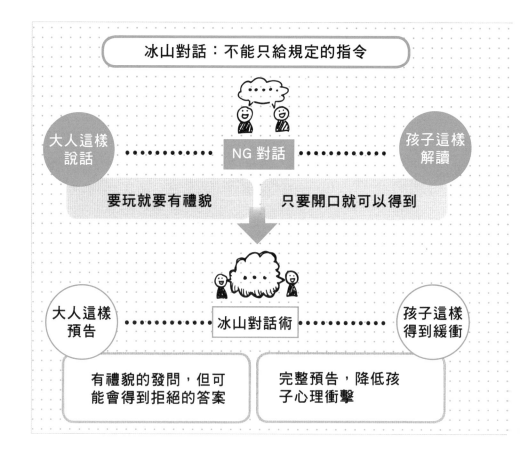

冰山對話：不能只給規定的指令

大人這樣說話 ……… NG 對話 ……… 孩子這樣解讀

要玩就要有禮貌　　只要開口就可以得到

大人這樣預告 ……… 冰山對話術 ……… 孩子這樣得到緩衝

有禮貌的發問，但可能會得到拒絕的答案　　完整預告，降低孩子心理衝擊

很多爸媽會跟孩子說：「要玩就用說的」「要玩就要有禮貌」，這些話聽在孩子的耳朵裡，好像是教他：「只要開口就可以得到。」如果孩子是這樣想，那收到「不要」的答案時，一定是被狠狠的打擊一番，因為落差太大。

要解決孩子這種心理上的落差，我自己的經驗是，預告一定要做，更要完整的教育孩子。好比說，我們可以跟孩子說：「你可以去跟他借腳踏車，但他不一定會借你，因為他現在看起來玩得很開心！」或者「你可有禮貌的去問他，但他可能會直接說『不要』，要你去玩別的。」完整的預告，可以降低還沒成熟孩子的心理衝擊，讓情緒不至於上來得太快。

冰山對話術 2：需要親子有耐心的具體演練

「來來來，媽媽跟你演一遍，媽媽假裝是你的好朋友，你來跟我借玩具，我說『我不要，我不想給你！』你的感覺會怎樣呢？你會用什麼方法來解決呢？你會覺得這一句『不要』就像天快塌下來的感覺嗎？」

對話技巧：透過角色扮演，提供演練機會

冰山對話術：媽媽扮演你的好朋友，你來跟我借玩具，但我說「不要，我不想給你！」你的感覺是什麼呢？

有時間演練，也有臺階下

小孩心境

這個方式，是結合角色扮演及引導式教育，讓孩子在虛擬的情境中，獲得比較充裕的時間來演練，才不會在第一時間內，不知道如何回應，又找不到臺階下。

冰山對話術 3：簡單解析對方的心情

孩子還小，同理的能力還沒有很成熟，所以不會懂其他孩子為什麼不借他，而只執著在「我已經按部就班的做了媽媽交代的事情了呀！」這時大人們要在旁邊，用具體描述解釋一下。

例如，「我覺得他可能是因為玩不夠，才不借你！」「我覺得他可能不要你現在問。」「我覺得他有捨不得的心情。」

冰山對話術 4：鼓勵孩子找時機再試試看

面對孩子去嘗試後的挫敗，爸媽第一時間的支持是很重要的。我們應該先跟孩子溝通：「你已經做得很好了，我非常喜歡你有禮貌這件事。」先設法維持住孩子的正向行為，再跟他分析：「也許下次他就會借你了，是時間不對！」「搞不好其他孩子會借你，是對象不對！」

很多父母，在孩子失敗時，第一時間就說「這沒關係！」「再試一次就成功了！」……這樣的對話，反而讓孩子感覺不到支持。

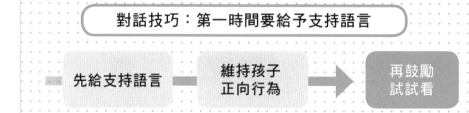

對話技巧：第一時間要給予支持語言

先給支持語言　→　維持孩子正向行為　→　再鼓勵試試看

冰山對話術 5：分享自己的經驗

有一句話我覺得很重要：「很努力，不一定得到！」因為現實生活中就是這樣，有時就算做足了準備，也總是有意外。只要在情緒教育中，提早讓孩子了解，讓他很自然的接受這些環境中的挫折，對他未來的社交人際發展，會有很大的幫助。

父母跟孩子對話時，要提前讓他知道現實，這樣孩子才會聽你講話。譬如，和孩子分享自己也曾在萬全準備下，卻慘遭失敗崩潰的經驗。

3 大要領，掌握同理心溝通法

命令、禁止要減少，轉換溝通會更好	不要凡事都對著孩子說「你要……」「你不可以……」，把「你」改成「我」
要教孩子尊重，先聽孩子把話說完	聽完孩子的完整表達，就算是歪理、就算是頂嘴，也等他講完後再修正他
從繪本、桌遊到生活，教孩子學習與理解	平常就要觀察並練習說出對他人的感覺及感受，如果孩子還不成熟，父母應該透過繪本、桌遊等媒介給予提示，選項中參雜理性及感性的答案，加倍鼓勵孩子的感性答案

教養的 **真相** → 父母要教導孩子不要有太強的主見，前提是要先放下自己的脾氣與成見。

6-7 愛告狀、愛計較的孩子
計較個性，讓他不受歡迎

「吼！媽媽，弟弟又把我的玩具弄壞了啦！」「媽媽，姊姊都不跟我玩！」家裡此起彼落的告狀聲是不是經常搞得你一個頭兩個大？不處理，擔心孩子起衝突沒完沒了，處理了，又怕孩子們不滿意結果，結果不是被告狀的說告狀的愛打小報告，就是告狀的跟被告狀的一起生媽媽的氣。

[愛告狀小孩，
社交情緒常管控不好]

知名的美國心理學教授克里・摩斯（Kelly Morth）認為，20％ IQ＋80％ EQ＝100％ 成功。這樣改革智力論，是人類發展及行為學演進上非常重要的一步，在《EQ的力量》這本書裡，我著墨許多。

兒童社交技巧，與融入團體和人際互動關係環環相扣。**社交技巧是指表現出可被接受的行為模式，可以幫助個人獲得社會增強、接受或是逃避負面情境的能力。**

訓練兒童社交技巧的主要目的，就是希望增加孩子更多的

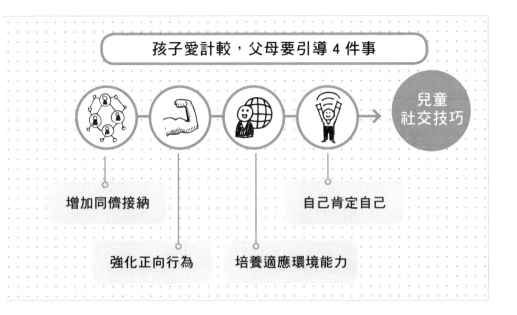

同儕接納、正向行為及適應環境的能力，進而達到更高的社會期許。由人類發展里程碑來看，社會化的過程，的確需要更多個體間的觀察及互動。

　　換句話說，社交能力要好，與團體互動的經驗值息息相關。很多家長喜歡討論兒童的社交技巧，是先天或後天發展出來？現代兒童心理發展專家認為，兒童的人際社交能力，除了受先天氣質影響，更受後天團體互動及環境的塑造。因此，**兒童社交技巧是可以被教導的。**

　　根據 Gresham 等人提出的社會技巧評估，可以歸納出社交技巧引導有五大重點：

重點 1：合作

　　讓孩子明白，合作與分工的好處與優點，例如：可以更快完成事情，可以做得更好……。

重點 2：自我肯定

同時要給孩子建立信心，讓他肯定自己，知道自己可以做得好，不用擔心會給別人添麻煩。

重點 3：負責

讓孩子知道，團體關係中，要對自己所扮演的角色有一定了解，因為在參與團體活動中，我們都會有自己需要達成的任務。

重點 4：同理感受

要時時站在孩子立場思考，同理孩子的情緒行為和反應，再引導他學會正確的表達。

重點 5：自我控制

最後這點最需要花時間與耐心，因為孩子還是會根據當下的情境及情緒有不同反應，所以父母要培養孩子控制自己的情緒和想法，引導出正確的社交方式。

因此，要讓以自我為中心的小小孩進入團體互動的學齡前、學齡階段，這中間轉銜成功與否，跟孩子「是否培養與人合作觀念」「自我成就及價值是否提升」「是不是有責任感」「能否設身處地為人著想」以及「行為可否控制」等，有相當密切的關係！

爸媽必知！社交技巧引導 5 心法

合作 → 明白合作優點

自我肯定 → 幫助孩子建立信心

負責 → 達成自我任務

同理感受 → 換位思考 同理孩子

自我控制 → 控制情緒 引導社交

小孩愛告狀，要知道背後的行為訊息

愛告狀小孩的內在冰山

訊息 1	違背剛建立「是非」的概念
訊息 2	為了得到大人的注意、認同
訊息 3	測試大人的規則、底線
訊息 4	想要「控制」其他人，自己才有安全感
訊息 5	以牙還牙，以眼還眼

孩子愛告狀的情況，在家裡很讓人抓狂，也會讓大人擔心如果孩子在學校也常常愛告狀，會不會影響他的人際關係呢？就我的臨床經驗，總是愛告狀的孩子背後往往透露這樣的訊息：

內在訊息 1：違背剛建立「是非」的概念

孩子開始學習到各式各樣的規則，大人也時常透過讚美或制止來教導是非觀念，對孩子而言，規定就是規定，沒有彈性可言，因此當別人做出違反自己認為「正確」的行為時，自然就告狀了。

內在訊息 2：為了得到大人的注意、認同

孩子單純的認為「別人不對，代表我是對的」，又或者如果之前自己不小心犯錯而被處罰，孩子也會透過打小報告拉低手足在父母心中的地位。

內在訊息 3：測試大人的規則、底線

「媽媽！弟弟又去拿冰箱的布丁吃了。」明明自己也很想吃，只是怕做了會遭到處罰，所以先說弟弟做了，試試看媽媽會有什麼反應。

如果媽媽沒有責備或處罰弟弟，表示這件事可以做；如果媽媽生氣了，孩子就會知道這件事不能做，但自己又不會受罰。

內在訊息 4：想要「控制」其他人，自己才有安全感

「你再不怎樣怎樣，我就跟爸爸說！」其他孩子聽到這句話開始時都會心生恐懼，如果犯的錯來不及修正，就會透過交

換條件來拜託對方不要告狀，準備要告狀的孩子就會覺得自己握有某種程度的「權力」。

內在訊息 5：以牙還牙，以眼還眼

「上次你跟媽媽告狀，這次換我逮到你犯錯了吧！我也要去跟媽媽說！」如果前一次孩子告狀的狀況沒有處理好，很可能會產生這樣的惡性循環哦！

[
孩子愛告狀，
父母的破冰對話術
]

8 種破冰對話，進入孩子的內在世界

破冰 1	平時就要培養孩子的同理心
破冰 2	不吝於稱讚孩子，讓孩子感受父母的關愛
破冰 3	當孩子告狀時，先深呼吸安靜傾聽
破冰 4	肯定孩子告狀背後的動機
破冰 5	教導孩子學會看見別人的優點
破冰 6	引導孩子思考別人行為的背後可能有其他原因
破冰 7	告訴孩子更好的具體做法
破冰 8	讓孩子練習做做看

愛告狀的孩子，很容易讓家長擔心他在團體裡是否會被同儕討厭？在這裡，特別分享 8 大破冰心法，進入孩子內在世界，避免他產生可能的人際互動問題！

平時就要培養孩子的同理心

孩子小的時候，千萬不要當他的「孝子／孝女」！要教導他多理解別人，懂得體貼，若事事以孩子為尊，這樣可能會讓孩子在二寶出生後，或進入團體中頓時覺得失去重視，轉而想透過告狀來提升自我的價值感。

不吝於稱讚孩子，讓孩子感受父母的關愛

孩子表現好時就要給予稱讚，喜歡吸引大人注意的孩子會更努力做得更好來得到肯定，就比較不容易出現為了得到關注而頻繁告狀的情況。

當孩子告狀時，先深呼吸安靜傾聽

大人也是人，難免會有先入為主的判斷，也會受到自己當下情緒的影響而做出反應。如果孩子在大人手忙腳亂時告狀，或是孩子們搶著告狀跟辯解，而讓自己心煩意亂，不妨先冷靜一下，聽孩子慢慢說、仔細說，藉由傾聽的時間搞懂孩子告狀的背後原因，才能做出更適當的回應。

肯定孩子告狀背後的動機

我不是要家長跟孩子說「告狀很好」，而是要肯定孩子背後想要關心對方的這個想法。「你是因為擔心妹妹在哪裡玩

會受傷對不對？」這個方法也可以避免孩子覺得自己只有被責備，而不願意繼續聽大人說的話。

教導孩子學會看見別人的優點

平日生活中就多鼓勵孩子看見、學習別人的優點，同時也多讚美孩子表現好的部分，他就比較不會只看到別人的缺點而不停告狀了。

引導孩子思考別人行為背後可能有其他原因

當孩子抱怨弟弟妹妹弄壞自己的玩具時，引導他思考「因為弟弟妹妹不知道怎麼玩這個玩具，所以才……。」按照不同的狀況教導孩子，千萬不要只看見表現就快速下判斷。

告訴孩子更好的具體做法

「你可以教弟弟妹妹怎麼玩這個玩具，這樣他們就不會弄壞了」，或者「你可以提醒同學怎麼做比較好」。透過教導孩子更好的處理方式，可以提升孩子解決問題的能力。

讓孩子練習做做看

在做情境演練時，如果爸爸做了違反孩子世界的規則時，當下請孩子提醒爸爸改正，而非跟媽媽告狀。若是孩子經常跟爸媽告狀學校同學又做了什麼壞事時，爸媽可以扮演同學的角色，請孩子試著用更好的方式提醒同學。

孩子愛告狀，能讓我們了解他們的情緒、想法，透過好的引導能夠讓他們學習如何表達、解決問題、同理別人等，錯誤

的方法只會讓孩子拒絕溝通或用更不好的方式來滿足自己的期待！你可以嘗試看看上面的方法，畢竟培養小孩的 EQ 就從平日做起！

高 EQ 孩子要先訓練的 4 種能力

1. 學會表達

能說出自己的感受及感覺

2. 解決問題

有想辦法的能力，而不是等著人家幫他

3. 同理別人

可以知道別人的感受，而不去做令人討厭的事

4. 理解情緒

了解別人是不是討厭或生氣的表情

NG 教養，讓孩子更愛告狀

養成孩子愛告狀的 NG 教養，你中幾招？

交付「風紀股長」的使命給孩子

聽到孩子告狀時還幫腔

高壓統治，全部聽大人的就對了

NG1：交付「風紀股長」的使命給孩子

孩子不只會在特定情境下舉發別人的不是，無論到哪都會期待透過告狀來得到父母的稱讚。

NG2：聽到孩子告狀時還幫腔

孩子回家說某某同學又被學校處罰時，如果你一起幫腔說：「對呀，他做了老師不喜歡的事情所以才會被處罰，你不能那樣喔！不然也會被老師處罰的。」

家長肯定會說：「我這是透過例子來教導孩子不要做出不

好的行為，有什麼不對？」

　　我要說的是，因為家長沒有在現場，也不完全了解事實是不是跟孩子說的一樣，也有可能是他誤解了，也有可能孩子只是想透過說別的孩子不是，來顯示出「我在學校很乖」，所以父母這樣的回答，會更強化孩子告狀的行為。

NG3：高壓統治，聽我的就對了

　　還有的家長可能面對孩子很皮，別無他法就只能用比較「嚴格」的方式教育孩子，孩子若缺少表達想法的出口，擔心講錯話做錯事會被處罰，就比較容易透過告狀的方式來確認大人的底線喔！

 教養的**真相** ➔ **很愛告狀的孩子，有時是很怕被忽略、沒有安全感的孩子。**

PART 7 大腦與行為的真相

7-1　快累死媽媽的男孩
搞不懂他要什麼的女孩

養過男孩的媽媽大多會說：「養兒子根本就是在養猴子！怎麼老是蹦蹦跳跳的，他都不會累呀？」養女兒的媽媽也會告訴你：「我女兒每天好像心裡都有很多小劇場，心思好難猜呀！」爸媽一定很想知道，那個啟動兒子活蹦亂跳的按鍵到底在哪兒？又或者，走進女兒的內心，看看玻璃心裡的小劇場到底長什麼樣？

<blockquote>

養男育女大不同，
對話更要不一樣

</blockquote>

　　爸媽要先了解，養兒子與養女兒，方法就是要不一樣，因為男孩與女孩大腦構造不同、學習優勢不一樣、氣質也不同，當然無法用同一套教養方法。

　　就好像說，男孩子聽話總是左耳進、右耳出，感覺什麼都答應你，結果卻不是什麼都做得到？

　　科學家曾透過對早產兒音樂治療的研究發現，女嬰的聽力比男嬰好一些；其中一樣研究更指出，接受音樂治療的女嬰可提早 9.5 天出院，但對男嬰卻沒效。還有一項新生兒聽力實驗

發現，當播放一個 1,500 赫茲的聲音給嬰兒的左耳聽時，女嬰的大腦聲音反應比男嬰高 80%，1,500 赫茲正是我們可以聽見人說話的聲音範圍。

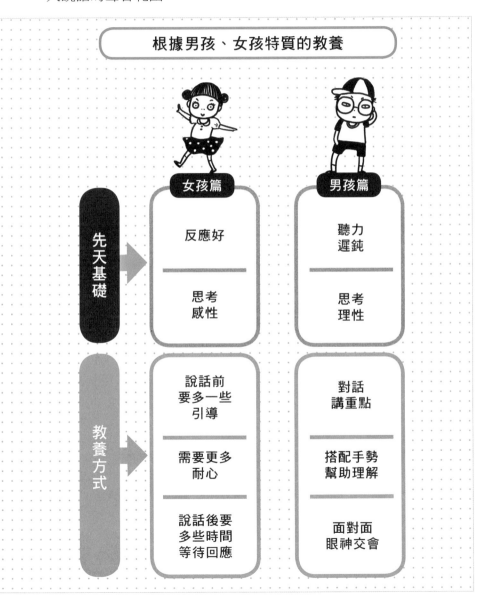

研究顯示，男孩在聽覺上比較遲鈍；也無怪乎若媽媽用一般音量對男孩說話時，他總是聽不到，所以經常可以發現在男孩宿舍裡，優雅媽真的不常見！

教孩子如果媽媽不想用「吼」，有 3 個教養重點可掌握：

別用教男孩的方法去教女孩

男孩

搭配手勢幫助理解

說話說重點

面對面眼神交集

女孩

語言加上「我等你」「想好了以後再跟我說」「我相信你」

就事論事的教，會比較聽話

說話說重點

男孩的媽媽常常被磨到沒耐心，當孩子下課回到家時，有時會出現這樣的對話：「你快去把書包給我放好，不要再像昨天那樣亂丟！」「不洗手，你就不要吃點心！」「每次洗手都不認真洗，得到腸病毒那該怎麼辦！」如果男子舍監每天都這樣對男孩說話，怪不得孩子不聽話，因為他「抓不到重點」啊！我建議孩子的媽可以這樣修正：「回家第一件事要做什麼啊？是不是要先把書包放在房間裡？接著我們再去浴室用肥皂洗手，洗完手就可以來找媽媽拿點心吃。」

沒重點的命令，最不利教養男孩

媽媽：快把書包收好不亂丟，快去洗手不然就不給吃點心，不認真洗手會得腸病毒

媽媽：回家第一件事情要先放好書包，再去把手洗乾淨，最後才是吃點心

發散指令太多，抓不到重點

直接下有順序，能抓到重點的指令

X

O

搭配手勢，幫助記憶及理解

　　和男孩對話時，說到重點處，媽媽可適時加入手勢，再補多一點表情，來加深他的印象。

面對面眼神交會

　　或者也可以把孩子拉到面前，眼神交會、面對面地交代要他完成的事。這樣他比較能聽到關鍵字，也就容易記住了。

　　跟女孩說話，因為她對聲音比較敏感，情感也豐富，雖然有時會繞東繞西、想很多；或者當你下一個命令給她，她會認為你是在怪她、在罵她而產生情緒。要記住，跟女孩說話時，可以這麼說：「來，我等妳」「想好了以後再跟我說」「我相信妳說的話」「我並沒有在怪妳喔」等情感層面的對話。這樣，女孩的耳朵會比較願意打開聽你說。

> # 教男孩、教女孩，
> # 當然不能用同一套方法

　　男孩天生好動，如果不把他的電放完，媽媽就得準備自己先沒電。很多媽媽問我：「要兒子專心，怎麼這麼困難？」其實並不難，而是必須做到讓男孩「先動後靜」。如果順序不對，沒有讓他先動個夠，孩子就無法專注，自然沒辦法好好地學習。

　　再者，因為男孩天生就愛冒險挑戰，所以父母一定要給他們適當的機會去探索。例如，看到他在客廳裡高高低低的跳沙

發時，通常我不會這麼對他說：「不准跳，不然我就處罰你！」我會直接告訴他：「來，想跳就去地墊上邊跳邊轉，或者去樓下跳繩。」這就是提供男孩一個合理的冒險範圍。

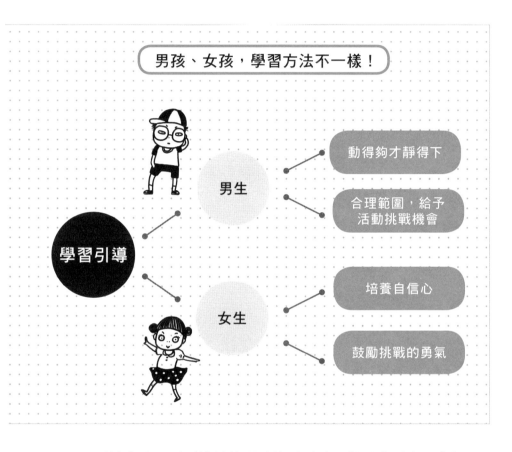

至於女孩，要引導她學習時的重點就是鼓勵多活動、多挑戰。因為女孩有時會過於安靜或不想挑戰比較困難的關卡，這就是男女大不同的地方！建議女孩的爸媽可以幫她調整難度，當她願意進一步時，就獎勵她的「勇氣」與「創意」。父母在教養中，最大的價值就是陪伴孩子，並引導他們思考。

給合理的冒險範圍，讓男孩動得夠！

沙發上
跳上跳下

→

合理的冒險
範圍

到樓下
跳繩

男孩、女孩，情緒教育重點不一樣

　　有研究指出，男孩處理情緒的部位主要在杏仁核，掌控處理比較原始的情緒，與語言區的聯結並不密切。女孩處理情緒的部分則是要到了青春期後，有一部分活動由杏仁核向外延伸到整個大腦皮質，這塊區域同時也會處理比較高層次的認知功能，所以女孩比較能用語言表達自己的情緒與感覺，男孩在情緒表達的能力上，比女孩慢約 2 年。

對男孩，講出你的感受讓他練習

男孩的情緒教育

1. 情緒觀察力較差，情緒表達也比較晚發展

2. 語言發展較晚，要幫助找到情緒的出口

3. 使用選擇題引導思考

4. 教導認識各種情緒，加強語言表達能力

對女孩，聽她講出感受，幫她練習

女孩的情緒教育

1. 語言表達比較快，要幫孩子找到重點

2. 思考同時運用左右腦，容易被情緒或外在環境影響

3. 引導思考事情本質，而不是全部都混在一起

4. 尊重孩子表達的權利

也因此，男孩常常會讓媽媽覺得「怎麼這麼白目、看不懂別人的臉色」，或者男孩的情緒總是「爆點低」，一秒就翻臉。我也發現，很多男孩會「很生氣」，但問他為什麼生氣，卻說不出所以然。這時，你就要用選擇題的方式，引導他說出原因：「你是因為小明在生氣嗎？還是因為沒吃到點心生氣？或是因為自己穿不好衣服而生氣？」

其次，不要逼男孩馬上說清楚，平日就可訓練教導他認識各種情緒，加強語言表達的能力。最後，就要引導他說出感覺，知道什麼是生氣、什麼是害羞，千萬不要只用：「都幾歲了，還那麼愛哭？」「你都是哥哥了，還這麼愛生氣！」的方式教養孩子，這樣只會讓他更急、更生氣。

至於女孩，因為口語表達比較早熟，思考比較縝密，當有情緒問題發生時，常常交雜很多理由，往往連自己也無法釐清生氣的主因，也跳不出負面情緒。這時，父母要做 3 件事幫助女孩：

女孩負面思考多，教育 3 重點

重點 1	拉回事實，不要讓孩子無限延伸
重點 2	尊重孩子的表達方式，不要立刻否定
重點 3	允許生氣，但要控制孩子強度

拉回事實

好比說：「妳是要說，某某同學不小心碰到妳，讓妳生氣嗎？」如果她仍要繼續說下去，請制止她：「等一等，我們先把這件事討論完再說。」

尊重孩子的表達，不要立刻否定

教導男孩表達時，不要急也不要催他快說；但教女孩時就要相反，你反而要跟她說：「妳先講，講完以後再聽爸爸媽媽說。」這是尊重她發表意見的最好機會，父母千萬別剝奪。

允許孩子生氣，但要注意情緒強度

通常女孩在 3 歲半到 5 歲半之間，就能啟動「辨識程度」的情緒教育；而男孩則是要到 4 ～ 6 歲間再開始教。

告訴孩子「你不准生氣」、「你不准哭」，都不是正確的教養，對孩子的情緒教育，可以透過認知來教。告訴他「你可以生氣，但不要生太大的氣。」、「你這樣的生氣，沒有表達到想法，反而讓別人嚇到。」、「這件事情嚴重不嚴重？需要這麼生氣？你可以想一想！」

「辨識程度」的情緒教育，男孩、女孩時間點不同

男孩　4～6歲

女孩　3歲半～5歲半

教導時間

辨識程度情緒教育

引導對話

你可以生氣，但不要生太大的氣

你這樣的生氣，沒有表達到想法，反而嚇到別人

這件事情嚴重不嚴重？需要這麼生氣嗎？可以想一想！

教養的真相 → 教男孩、女孩，不是只有規範，更要給孩子正向思考的示範。

7-2 不愛睡覺的孩子
從小沒教對的睡眠規律

很多家長問我,孩子到底要睡多久才夠呢?孩子都不愛睡覺,爸媽都很擔心孩子的睡眠問題。其實,孩子的睡眠除了看長度、品質之外,規律的養成更是重要。

超過 9 點起床,
變成過動兒的機率大增

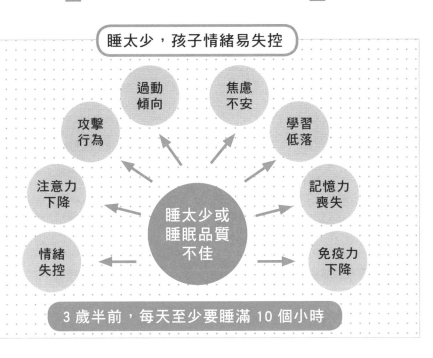

睡太少,孩子情緒易失控

過動傾向　焦慮不安　學習低落　攻擊行為　記憶力喪失　注意力下降　睡太少或睡眠品質不佳　情緒失控　免疫力下降

3 歲半前,每天至少要睡滿 10 個小時

加拿大有個長期研究發現，3 歲半以下的孩子，每天至少要睡滿 10 個小時，對幼兒的整體發展比較好。有更多的研究證明，睡太少或睡眠品質不佳，會造成孩子的情緒失控、注意力下降、攻擊行為、過動傾向、焦慮不安、學習低落、記憶力喪失，以及免疫力下降等情況。

　　另外，研究發現太晚睡還可能影響身高發育；新近研究更建議父母從小就要幫孩子養成睡眠規律性，因為不建立規律的睡眠習慣和就寢時間，一味順著孩子早上睡到很晚才起來，晚上過了該睡的時間還不睡，會大大影響孩子的腦部發育。

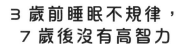

[3 歲前睡眠不規律，7 歲後沒有高智力]

錯誤教養，導致孩子睡眠不規律

睡覺時間不固定	➡	規律睡眠難養成
起床時間不固定	➡	早餐有一頓沒一頓
孩子配合大人作息	➡	孩子作息跟著混亂

現代孩子為何沒有規律睡眠呢？我發現，家有幼兒的父母最常犯下列 3 種錯誤：

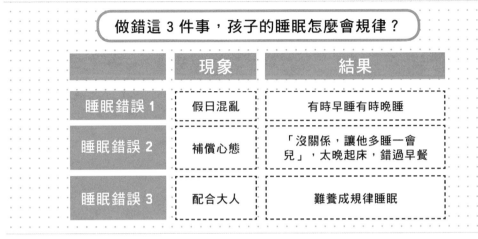

做錯這 3 件事，孩子的睡眠怎麼會規律？

	現象	結果
睡眠錯誤 1	假日混亂	有時早睡有時晚睡
睡眠錯誤 2	補償心態	「沒關係，讓他多睡一會兒」，太晚起床，錯過早餐
睡眠錯誤 3	配合大人	難養成規律睡眠

兒童睡眠不僅要關注「量」和「品質」，更需注意「早睡早起」以及「睡眠規律性」，因為規律性與我們生物體本身的生理時鐘有很大的關聯性，睡眠不足則會影響大腦的可塑性。

如果孩子已經過了睡眠規律養成的關鍵期，又該怎麼辦呢？先別擔心，什麼時候開始都不嫌慢，只要願意與嘗試調整，都有機會可以矯正；甚至是 ADHD 的孩子，透過調整睡眠的規律，也能有效改善 ADHD 的症狀。

睡眠不足，也是學習的殺手之一

還記得上學時間延後 1 小時，讓孩子睡飽一點的新聞嗎？《親子天下》曾報導過「充足的睡眠，有利於大腦發展」，這件事一點也沒錯！

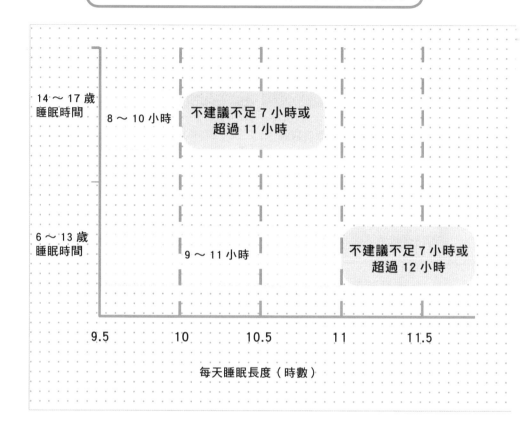

美國全國睡眠基金會，建議孩子的睡眠時間

14～17 歲
睡眠時間

8～10 小時   不建議不足 7 小時或
            超過 11 小時

6～13 歲
睡眠時間

9～11 小時   不建議不足 7 小時或
            超過 12 小時

9.5   10   10.5   11   11.5

每天睡眠長度（時數）

　　兒童青少年睡眠不足，隔天學習、情緒、行為表現都比睡眠足夠時來得差，會產生包括注意力不集中、記憶力降低、情緒暴躁等。如今台灣的中小學，睡眠也有普遍不足的現象，有近四成的國三學生睡眠不足 6 小時，近 1/4 的中學生都有睡眠品質不佳的狀況，甚至台灣的小六生每天平均也只睡 7.9 個小時，比國際平均值還少半小時，也比中國大陸、日本的孩子少睡許多。

養成睡回籠覺壞習慣，可能影響大腦專注力

父母一定還遇過這種情況：明明已經叫孩子起床了，沒多久又看到他跑回去睡回籠覺。如果孩子是經常醒來後又再回去睡的人，白天的專注力會不容易集中，做事效率也差，因此，千萬不要讓孩子養成已經醒來，又睡回籠覺的習慣，這對健康及學習很不好。我有 3 個小提醒：

1. 起床後，想再瞇一下下是正常的，因為大人小孩都有睡眠惰性，但千萬別養成去睡回籠覺的習慣。
2. 孩子會睡不飽，每天爬不起來，通常都是因為太晚睡、或者叫他們睡卻不睡、玩不夠捨不得睡、家人也很晚睡等原因造成。
3. 太晚睡與孩子的起床氣有很大關聯，養成孩子早點上床睡覺的管理能力，對孩子發展正向情緒非常重要。

睡不飽的孩子，怎麼可能爬得起來？

孩子睡眠 3 大提醒

提醒 1	不要養成睡回籠覺的習慣
提醒 2	孩子睡不飽，跟大人晚睡也有關
提醒 3	培養自己上床睡覺的管理力，也能幫助孩子發展正向情緒

早睡早起不是口號，與大腦發展有密切關係

近幾年的研究裡也發現，注意力缺損過動症（ADHD）與睡眠息息相關，有睡眠障礙的孩子，存在 ADHD 的比例較高，而 ADHD 的孩子，普遍也有睡眠需求少、不易入睡等問題。

幼兒睡眠：重質、重量、重早睡早起，也重規律性

各國睡眠研究			
	2013 英國	孩子睡眠建立有關鍵期	· 3 歲沒養成規律就寢時間，7 歲認知表現低 · 女孩比男孩影響大
	2015 日本	規律睡眠與專注力關聯	2 歲就寢時間超過 11 點或不規律，相較於 9 點就寢前或規律者，到了 8 歲時，注意力、破壞或干擾他人行為等問題比例高
			2 歲起床時間超過 9 點或不規律，相較於起床時間在 7 點或有規律者，到了 8 歲時，破壞或干擾他人行為問題會高出 1.52 倍

教養的真相 → 不要只管孩子睡多或睡少，真正該管的是睡眠規律和睡眠品質！

7-3 愈來愈不喜歡英文的孩子
第二語言的學習關鍵

老師,為何我的孩子在幼兒園時期學英文,都很快樂,上了小學一年級、二年級後……他逐漸不喜歡英文,變得沒有興趣,是我做錯什麼嗎?

[**外語學習,
一定要有成就感**]

對於語言的學習,每個人都有不同的經驗,我想從科學的角度來解釋會比較客觀:

首先,要告訴所有父母的是「學母語是有關鍵期的」。這也是我很重視孩子們母語是否有穩定的片語、句型及文法的原因,因為這會影響到孩子是否能早點完整表達;但是外語的學習,研究發現要學得好,重點是在於激發興趣與動機,我認為可以及早接觸,只要不是填鴨式的英語學習,永遠都不會太晚。

其次,很多家長都希望孩子提早學英語,是因為想掌握「口音關鍵期」,也就是讓發音比較標準。的確,有專家學者發現,愈早接觸外語的孩子,愈沒有母語口音,但到底要早到幾

歲開始接觸、開始學習，目前還沒有定論。

再者，英語學得好不好，其實不只是發音而已。還有其他如拼字、語法、用語等需要留意的層面，就像中文一樣，注音符號ㄅㄆㄇ學得好，也不能代表中文成績就一定好，因為語文本來就牽扯很多範圍，發音只是其中之一。

哈佛大學語言教育學家凱瑟琳 ‧ 史諾（Catherine Snow）教授曾經說過：「學語言最關鍵的不是最佳年齡，而是最佳配套條件。」意思是說，要有正確的語言學習觀念，加上適齡、適性的教學法、豐富的語言輸入及互動，更要有正面的回饋及鼓勵，才是語言學習的重點。

從科學，看外語學習的 4 大重點

1　母語有關鍵期，先學好母語，也能幫助外語

2　提早學外語，確實能讓發音比較標準

3　學英語，發音標準只是其中一個項目

4　學語言的關鍵不是年齡，而是配套條件

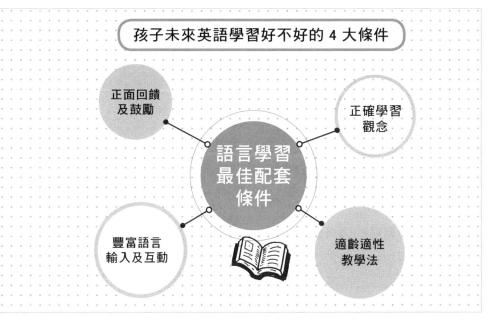

孩子未來英語學習好不好的 4 大條件

正面回饋
及鼓勵

正確學習
觀念

語言學習
最佳配套
條件

豐富語言
輸入及互動

適齡適性
教學法

　　所以，我可以告訴父母，語言學習真的不用擔心會不會太遲這件事，最該思考的是「如何引起孩子的興趣，讓他可以開口表達」。

英語成績普遍低落，到底怎麼囝事？

　　根據 EF 英孚國際文教機構（EF Education First）在 2017年公布的英語能力指標報告，排名第一是荷蘭。台灣的英語力在亞洲排名 11，比前一年下滑 8 名，比不上新加坡、菲律賓和印度就算了，也比不上韓國、香港。但，這就產生了一個大哉問：怎樣的英文程度算好？

　　其實，台灣人花在學英文的時間並不少，大部分人在小學

五年級就開始學兒童美語，然後一路長大。現在的孩子，不少更是從「雙語幼兒園」就開始接觸英文。儘管如此，台灣人說英語或任何外語時，還是很怕犯錯而不敢開口，或是有只重視文法及單字量的迷思。

一些研究語文的學者發現，**外語程度與學習模式的關聯性有關，開始學習的時間反而不是關鍵**。簡單說，一個有趣的學習環境，搭配自然的互動就能讓孩子學得更快，記得更深刻。遊戲式學習也是強迫孩子「使用語言」的方式；總之，**語言需要有不斷思考的情境練習和練習機會**。可惜這樣又會誤導很多家長，認為這是因為我們的孩子沒有自小說英語，也沒有機會接觸外國人，所以應該要盡早讓孩子開始學 ABC，甚至送出國都不誇張。

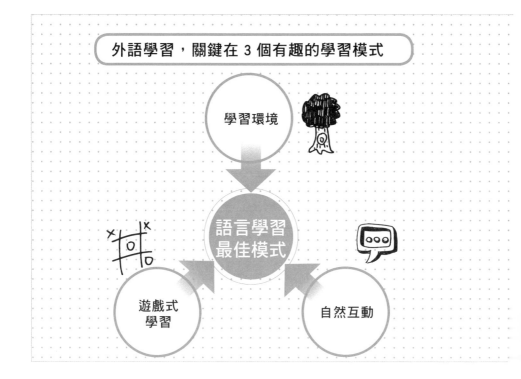

外語學習，關鍵在 3 個有趣的學習模式

學習環境

語言學習
最佳模式

遊戲式學習

自然互動

別為了學英語，
讓孩子感到無法溝通的挫折

語言學習，加強母語成熟度優先

同時學許多不同語言

語言學習

加強孩子母語成熟度

說明　語言發展未穩定前，冒然給予大量的第二或第三語言，會讓孩子主要溝通語言產生混淆

　　無論如何，每個孩子的語言發展速度都不一樣，家長經常先把焦點放在孩子同時間要學許多不同的語言，感覺才不會輸在起跑點，卻忽略了應該要先加強孩子的母語成熟度。

　　臨床研究發現，如果孩子的語言發展仍未穩定（如 2 歲半還不會講句子），這時就貿然給予大量第二或第三語言時，會讓孩子的主要溝通語言產生混淆，令他有不想溝通說話的動機，還可能出現語言發展遲緩的情形。

　　每當有父母興致勃勃問我，孩子可不可以提早接受外語才

藝時，我都會請他們先觀察孩子的母語溝通能力，再進一步討論。因為，母語很重要，但如果學齡前的孩子連說話的興趣與成就感都沒有，又找不到一個穩定的溝通工具，那麼面對第二種、第三種語言時，又怎麼可能會學得好呢？

要鞏固0～5歲孩子的學習力，最要緊的是透過大量遊戲，用玩中學、做中學的方式，來當作最基本的學前教育原則。學習語言也一樣，如果只是生硬的背誦、大量的考試，一大堆的紙本練習，根本無法激起孩子的學習興趣，甚至可能連內在的動機都一併抹煞了。

想要提早讓孩子學習英文才藝固然很好，但如果在幼兒早期階段，父母就期待孩子日後的英文一定要比別人強、要說得

嚇嚇叫、文法多精通，那就大可不必了。這些壓力，都可能讓孩子對語言學習失去興趣，提前將孩子的語言潛能埋沒！

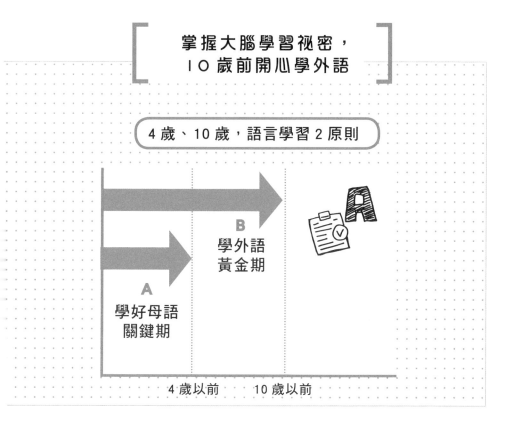

有一項語言追蹤研究很有趣，研究者把學齡前的孩子分成兩組，一組是從小沒有補習外語，但環境中有外語的一些遊戲刺激（如外語的音樂、讀物、遊戲內容、玩伴等）；另一組是從小透過大量的補習，被安排大量接受聽書讀寫外語的孩子；兩組都是從小學三年級開始追蹤。

原本以為，大量補習的孩子外語能力會比較優秀，結果發現，補習組竟然出現一些不喜歡英文、成績低落的孩子；相反

地，遊戲組的孩子學習興趣較高，專心學習的程度也較好，這群孩子都不覺得非母語學習有什麼壓力。

這個研究顯示出，孩子大腦對外界的學習刺激，說穿了就是用盡廢退、過猶不及，孩子從小有沒有接觸過這種語言，有沒有快樂的玩過這個語言，才是最重要的，只要接觸過就能讓大腦網絡連繫得更好，父母其實不用擔心！

如果是用孩子不喜歡的方式學習，就會超過大腦的負荷，反而影響內在的興趣與動機。從兒童發展觀來看，父母應該要關心的是，如何在孩子4歲前把第一語言（母語）鞏固好，10歲前則是學外語的關鍵！

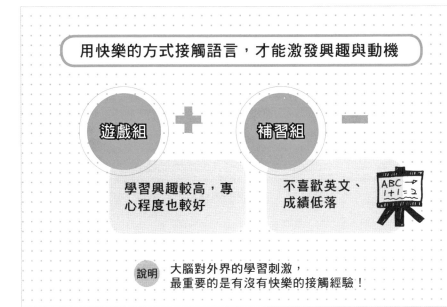

用快樂的方式接觸語言，才能激發興趣與動機

遊戲組 ＋

補習組 －

學習興趣較高，專心程度也較好

不喜歡英文、成績低落

ABC
1+1=二

說明　大腦對外界的學習刺激，最重要的是有沒有快樂的接觸經驗！

教養的真相 → 及早激發學外語的興趣、動機、成就感，孩子對外語才不會冷感！

7-4 看書無法專心的孩子 父母閱讀引導技巧

親子共讀時,最讓你氣餒的是什麼?許多媽媽都跟我求助過帶讀的慘痛經驗:「媽媽講故事,孩子跑來跑去都沒在聽?」「每本書孩子都是隨便翻一翻,然後就沒興趣了!」「唸故事書時,孩子都一直中斷,只講他心中想講的!」「他只喜歡固定幾本書,其他都不要!」「他的注意力好短,只喜歡聽,不愛跟我互動分享!」

早期閱讀經驗愈豐富, 未來學習成就更高

　　若遇過上面的經驗,我想你或多或少都有興起過放棄共讀的念頭吧!甚至不得不承認:「好啦!我就是個不會說故事的媽媽!」但千萬別這樣想啊!事情如果看得太嚴重,就失去了開心閱讀的美意。因為天底下沒有父母不會說故事,說故事的方式很多,沒有一定的準則,父母最該學的是結合生活、遊戲、音樂、圖畫等,用自己的方式,就可以說得很好。

　　我長年在幼兒園及小學說故事,發現大人要根據孩子的反應來與他們進一步互動,時而用音樂、時而用律動,再加上豐

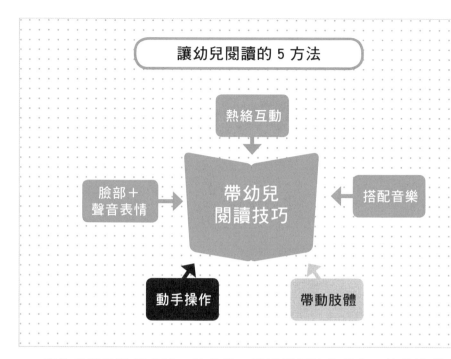

讓幼兒閱讀的 5 方法

熱絡互動

帶幼兒
閱讀技巧

臉部＋
聲音表情

搭配音樂

動手操作

帶動肢體

富的手勢及臉部表情，並多帶一點抑揚頓挫的聲音，總能讓現場的孩子驚喜連連。

其實親子共讀，不外乎是爸媽關起房門說故事，也就只有你跟孩子而已，場景輕鬆，只需要卸下平日管教的包袱，加大聲音與手勢，爸媽先將故事內容全部看過一遍再開始，不必照著書上的文字描述一字一字唸，也可以有很好的效果。

愈早閱讀，孩子的大腦愈發達

在學習理論中，有一個很重要的赫伯定律（Donald Hebb）。這是個神經放射原理，說明一個人在擷取知識前，需

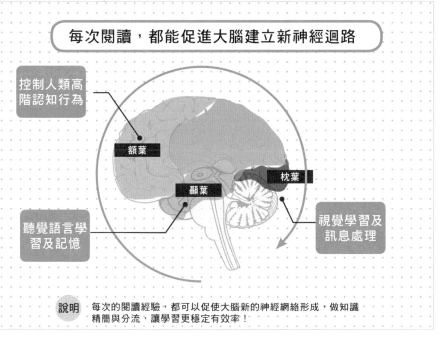

每次閱讀，都能促進大腦建立新神經迴路

控制人類高階認知行為

額葉

枕葉

顳葉

聽覺語言學習及記憶

視覺學習及訊息處理

說明 每次的閱讀經驗，都可以促使大腦新的神經網絡形成，做知識精簡與分流，讓學習更穩定有效率！

要神經細胞集團的激發，這個過程可以經由不同系統的刺激來達成，一旦神經迴路建立了，就能觸動較少的神經細胞來激發學習的知識。

這個概念對了解孩子的閱讀學習過程相當重要，因為每一次不同的閱讀經驗及不同的閱讀材料，對他們來說都是新的刺激，可以促使新的神經網絡形成，或可提供無法連結的迴路有更多的溝通機會。如果能持續不斷地累積這樣的刺激，基本上就是在做知識精簡及分流的工作，讓未來的學習可以更穩定、熟練且有效率！

在大腦的研究中，多數科學家都認為大腦有如演化觀點，是用進廢退的。在**環境中經歷愈多刺激，大腦皮質活化的程度就愈顯著，神經連結也愈緊密**，這也是醫學界制定智力發展的重要指標。

而閱讀的過程中，因為有不同的方式進行，提供了大腦各區域重要的滋養，其中包括控制人類高階認知行為的大腦皮質「額葉區」、視覺學習及訊息處理的「枕葉區」、聽覺語言學習及記憶的「顳葉區」，及其他眾多連結的區域，所以能有許多不同的好處。

　　美國國家精神衛生研究院（NIMH）與加拿大馬吉爾大學（McGill University）曾對大腦皮質厚度與兒童智商相關做過研究，結果發現，高智商兒童的皮質較厚，且這樣的孩子在大腦發育過程中，提供了更多高功能認知的經驗，原因可能來自於「較優秀的社交模式」「較多的語言學習機會」及「較豐富的閱讀環境」，正可印證，閱讀是培養高智力的保證。

這 3 件事，讓孩子大腦皮質層厚增，智力更高

1 較優秀的社交模式
2 較多的語言學習機會
3 較豐富的閱讀環境

愛閱讀的孩子，才不會黏上手機跟平板，若能讓孩子愈早喜歡閱讀，他會獲得愈多情感表達機會，也能對他人的心理狀態有更深刻的感受。愛閱讀的孩子，智力、問題解決能力、學習力及創造力，都會比一般孩子還好。

父母「適齡挑書」，孩子才會愛上閱讀

增進 0～6 歲閱讀力的分齡選書原則	
1 歲前	對比明顯，單一物件
1～2 歲	能操作，簡單因果
3～4 歲	有主題，人物故事
5～6 歲	內容能思考，需聽說回饋

教養的真相 → 要讓孩子喜歡閱讀，大人要先閱讀；如果大人覺得是在「陪小孩」就會很累，自己在閱讀，就不會累。

7-5 耐力很差的孩子
運動不足，影響學習及情緒低落

現在的家長對於兒童運動已經有不錯的概念，像是帶孩子學游泳、去上坊間和運動中心的體能相關課程等。這些對孩子，尤其是都市孩子，都是不錯的運動。只是，家長們似乎容易忽略一件事，僅僅是一週 1～3 堂的體能相關課程，就能滿足孩子的運動量嗎？

耐力很差，
會影響整體學習

很多研究報告與資訊都告訴我們，運動的好處多多，可以幫助孩子好睡、提升專注力、增加食欲、增強免疫力，甚至可以幫助長高……，原因是活動筋骨可以帶動全身的新陳代謝，讓頭腦變得更靈活。

某研究專注力的心理師認為，活動可以促進血液循環，只要能讓孩子釋放出四成的身體能量，大腦就能得到 25% 的血液，這對於負責處理長期記憶的大腦皮層來說特別重要。

孩子愛運動，不可不知的 5 大優點

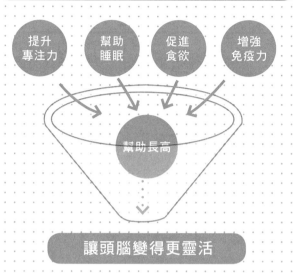

提升專注力　幫助睡眠　促進食欲　增強免疫力

幫助長高

讓頭腦變得更靈活

愛運動的孩子，反應最快

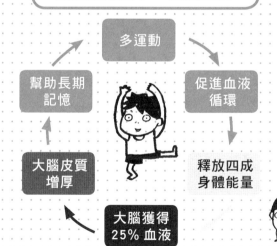

多運動

幫助長期記憶　　促進血液循環

大腦皮質增厚　　釋放四成身體能量

大腦獲得 25% 血液

說明　運動可以增加大腦 25% 以上的血液循環，讓學習更有效率

身體活動不但可以促進血液循環，也可影響人體內神經傳導物質的數量，對於降低壓力也有幫助。也許你會問：「神經傳導物質是什麼？這麼科學的名詞，與小孩專注力有什麼關聯？」其實，神經傳導物質對於大腦邏輯區和情緒區的相互連結性很高，可以激發動機與衝動。所以，如果是愛運動的孩子，就有機會促使他在認知、判斷力與注意力方面的能力，這是令神經系統暢通、肢體活動達到平衡感一個很重要的角色。

　　國內外有許多研究都有這方面的證實。國外曾在一些標準化的測驗中發現，如果孩子持續 3 年都天天運動，在標準化測驗如 IQ 測驗，會提升 6%；會令老師管教孩子的時間下降 21%，想想看，如果拿這 21% 的時間來專心教學或做課業上的指導，對孩子的幫助不是很好嗎？

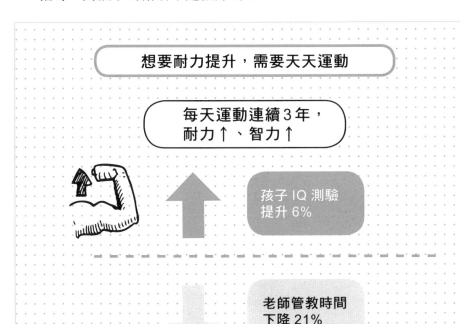

想要耐力提升，需要天天運動

每天運動連續 3 年，
耐力↑、智力↑

孩子 IQ 測驗
提升 6%

老師管教時間
下降 21%

國內也有類似的觀察分析，九成以上被認為是「專注力不足」的孩子，其實是運動量不夠，尤其是生長在都會區的孩子更嚴重。運動時，腦內的多巴胺、血清素濃度增加，有助於情緒穩定，也就是說，要有足夠的運動量，孩子才能靜得下來。

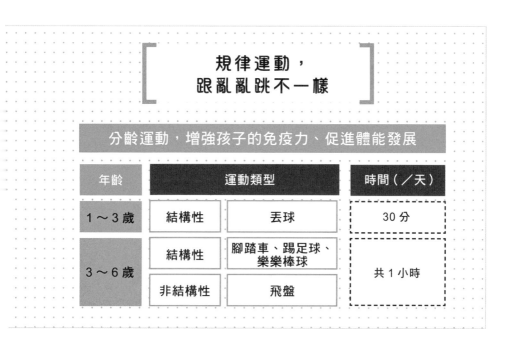

規律運動，
跟亂亂跳不一樣

分齡運動，增強孩子的免疫力、促進體能發展

年齡	運動類型		時間（／天）
1～3 歲	結構性	丟球	30 分
3～6 歲	結構性	腳踏車、踢足球、樂樂棒球	共 1 小時
	非結構性	飛盤	

　　有些家長以為每天到公園跑跑跳跳，應該就算是運動了；也有些家長說，我的孩子每天動個不停，沒停過，還需要運動嗎？也有爸媽費盡心思幫孩子安排了許多幼兒足球、籃球、直排輪或游泳等運動課程，但真的需要做到這個地步才有效果嗎？我說，這得看你期望達到什麼效果而定了。

　　運動分為很多種，伸展呼吸運動、肌力訓練、有氧運動、高強度間歇運動等，這些運動所帶來的效益並不一樣，在時間

有限的情況下，當然要帶孩子做對運動。

　　從國外的研究可以發現，運動分成兩種形式，一種是「結構性運動」（structure）、另一種是「非結構性運動」。結構性運動就好比是打球、跳繩等；非結構性運動是一般的跑跑跳跳、溜滑梯等。

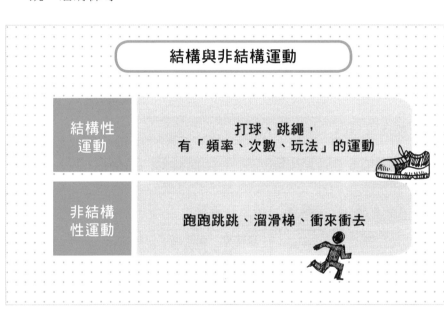

結構與非結構運動

結構性運動	打球、跳繩，有「頻率、次數、玩法」的運動
非結構性運動	跑跑跳跳、溜滑梯、衝來衝去

　　有研究發現，1～3歲的孩子每天都需要30分鐘的結構性運動，可以做一些遊戲當作運動。爸爸媽媽帶著小小孩幫氣球打氣，或者陪他去戶外玩丟球接球等；只要讓這些活動變成固定且規律，孩子才算真的有運動到。

　　3～6歲的孩子，結構性運動可以試著學騎腳踏車，或者到戶外草地踢足球、玩樂樂棒球等；非結構性運動就譬如是玩飛盤。如果每天都能持續進行結構性與非結構性運動共1小時，孩子的身體活動量也就足夠了。

不同運動種類，好處也不一樣

　　運動對幼兒的益處，大家常想到的是可以增強孩子的免疫力、促進孩子的體能發展。沒錯，但運動的益處不只這樣而已，目前已經有許多的文獻證實運動對幼兒有相當多的好處。

增加記憶力，要動腳

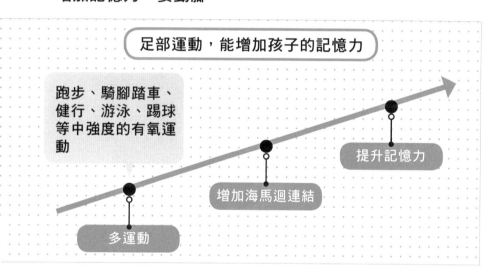

足部運動，能增加孩子的記憶力

跑步、騎腳踏車、健行、游泳、踢球等中強度的有氧運動

提升記憶力

增加海馬迴連結

多運動

　　大腦中的「海馬迴」掌管記憶力的中樞，有氧運動有助於增加海馬迴的細胞連結。持續性的中強度耐力運動（如慢跑），相較於肌力訓練或高強度的間歇性運動，更有明顯增加海馬迴的效果，因為跑步能增加腦衍生神經滋養因子（Brain-derived neurotropic factors, BDNFs），促進海馬迴細胞的增生，進而增進大腦的記憶功能，上述的研究結果雖然只是動物實驗，但普遍認為深具意義。所以，要孩子大腦更靈活，多跑步總是沒錯！

增加專注力，要玩球

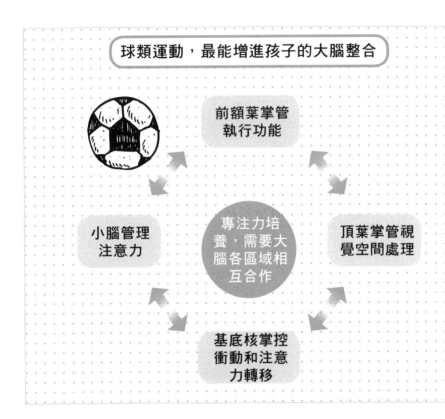

球類運動，最能增進孩子的大腦整合

前額葉掌管
執行功能

小腦管理
注意力

專注力培
養，需要大
腦各區域相
互合作

頂葉掌管視
覺空間處理

基底核掌控
衝動和注意
力轉移

專注力是綜合了大腦各區域相互合作而成，好比說前額葉
掌管執行功能、頂葉掌管視覺空間處理、基底核掌控了衝動、
注意力轉移，小腦則是管理注意力的區域，後兩者都與協調平
衡有關，如果想要同時刺激大腦的多腦區域，最好的運動就屬
球類運動了。孩子在玩球的過程中，一般都會包含跑步、協調、
平衡、視覺空間、速度與敏捷度，因此，球類活動可說是 CP
值最高的運動了。

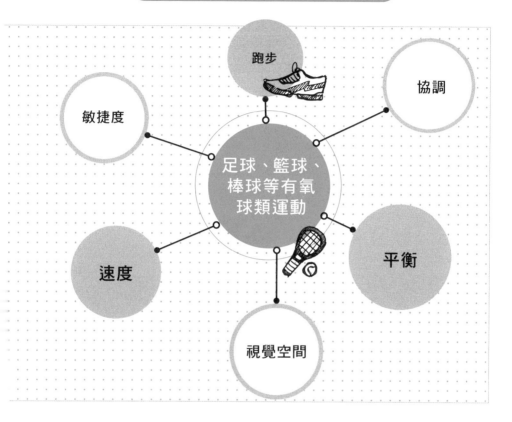

球類運動，最能刺激孩子的發展

跑步

協調

敏捷度

足球、籃球、棒球等有氧球類運動

速度

平衡

視覺空間

提升思考力，要出力

　　大腦的「前額葉」有總指揮之稱，負責推理、解決問題、執行與思考，鍛鍊肌肉能增加大腦的執行功能。肌力訓練可以增加大腦的血流速度，提高警醒程度與注意力，又能增加第一類胰島素生長（IGF-1）因子的釋放，促進神經細胞間的連結，對雙側前額葉的活化很有幫助。能出力的活動就包括了攀爬、單槓、仰臥起坐、拔河等肌力訓練，可讓孩子冷靜、幫助思考。

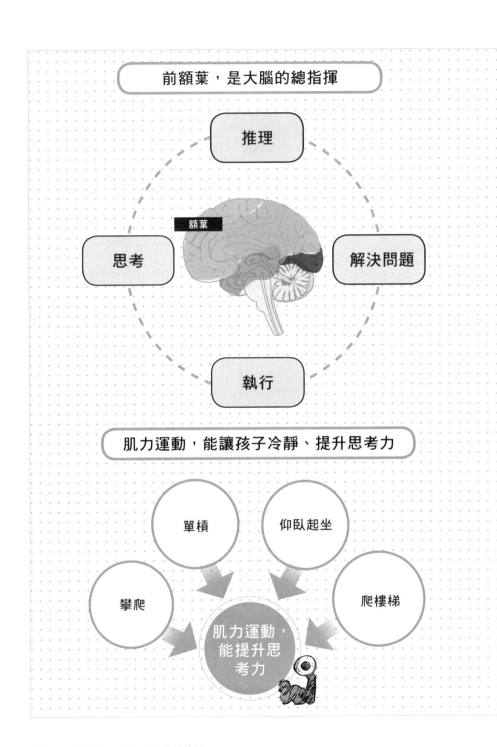

前額葉，是大腦的總指揮

推理

額葉

思考

解決問題

執行

肌力運動，能讓孩子冷靜、提升思考力

單槓

仰臥起坐

攀爬

爬樓梯

肌力運動，能提升思考力

增加耐挫力，要有節奏的呼吸

　　大腦中還有一個掌管情緒的「杏仁核」，是處理身體感覺與情緒的位置，額下迴（IFG）則是同理心的重要位置。運動能增加多巴胺、催情素、腦內啡等，只要持續運動，可以讓人感到快樂，但是若要特別增加自信、耐挫力、自我概念等，可以做節奏呼吸、冥想與姿勢調整的瑜伽運動，以增加杏仁核與額葉灰質量，提升血清素的分泌、降低皮脂醇釋出，有助於減輕焦慮，增加自我概念與自信心，所以對提升 EQ、增進耐挫力和情緒力很有幫助。

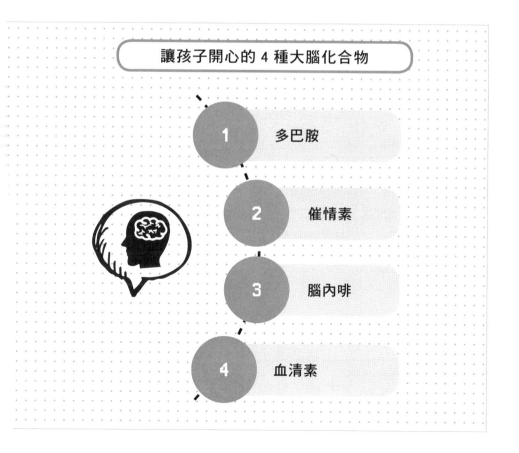

讓孩子開心的 4 種大腦化合物

1　多巴胺

2　催情素

3　腦內啡

4　血清素

不同運動，效果大不同！

運動種類	運動行式	運動效益	備註
跑步、騎腳踏車	中強度有氧運動	記憶力 up	可以邊跑步邊算數
球類活動	中高強度運動	專注力 up	邊玩球邊計分
單槓、仰臥起坐、攀爬	肌力訓練	思考力 up	加上有氧運動效果更佳
瑜伽	有節律的呼吸運動	情緒力 up	加上中高強運動效果更佳
游泳	間歇性運動、較低溫環境	食慾 up	1. 時間勿過長 2. 別在密閉室內池
慢跑、跳躍	持續性、長時間有氧活動	長高 up	跳躍活動可以每天做

教養的真相 → 很多孩子坐不住、靜不下，都是因為動不夠！每天讓孩子運動至少 1 小時，就能活化大腦，提升學習力。

後記

身為一個媽媽、總想照顧好整個家
時時刻刻都在付出，卻沒有留定自給自己
但，媽媽也會累、也要休息、也需要獨處～
別急！大家都是從生了孩子後，才開始學當媽媽
慢慢走、孩子永遠都會等妳.
就算做的沒這麼好、妳還是一位好媽媽
　　　　　　　　　　王宏哲教養育兒寶典

媽媽，沒關係！不管有多難，
孩子會等你，也希望你等他長大

不當「控制孩子」的父母
而要當教他「自我控制」的父母！

孩子：「媽媽，老師說我今天彈琴彈得很好。」

媽媽：「真的啊！很棒！」

孩子：「那等一下可以去買神奇寶貝貼紙嗎？」

媽媽：「為什麼要買，你貼紙已經很多了！」

孩子：「我沒有很多，只要一張，拜託！我有努力彈琴！」

媽媽：「……」

如果妳是媽媽，妳天人交戰的原因應該會有這幾個：

原因	買給他	不買給他
思考 1	今天孩子是真的表現不錯	怎麼可以他想要什麼，就都買給他？
思考 2	貼紙是小錢	就算貼紙是小錢，也不能隨便。每週花 50 元，一個月下來也有 200 元
思考 3	買給孩子他會很開心，我喜歡他開心	和孩子約定好集點制度，想要買應該用他的點數來換
思考 4	不買給他，等一下可能又要鬧脾氣	上課本來就要好好表現，買給他會養成條件交換的習慣
思考 5	不買會不會以後上課就不好好彈了	已經很多貼紙，孩子都隨便亂貼，不該再買

對孩子說「不」，真的好難

這樣左右為難的情境，是否經常出現？專家總是告知，父母對孩子要能設好底線。但實際上對孩子說「不」真的好難，因為我們都喜歡看到孩子快樂，他快樂我們快樂，他難過我們難過，更何況有些孩子鬧起脾氣來，真的令父母招架不住。

的確，今天我們舉這個貼紙的例子，也許真的不是什麼大事，但如果很多小事不處理好，孩子就會養成沒底線的壞習慣，你的猶疑讓孩子愈來愈無限上綱，最後父母在家中的地位淪為次等公民，才開始想要控制孩子的壞行為，早錯過最佳時間，為時已晚。所以，**若想當個「堅定自信」的父母，你最重要的職責是設下底線，不是控制孩子的反應或感受！**

很多父母跟我討論過這個問題，「我也想好好設底線，堅守原則，但有外人在時，總是很難做到。在外面可能有親朋好友、過度好心的大叔大嬸、甚至是正義魔人；在家裡可能有滿腹育兒經的長輩或其他家人，會評論或質疑我的教養，讓我不禁懷疑我是不是做錯了」。如果是這樣，那麼請記住：**沒有人比你更了解你的孩子，也沒有人知道你的教養準則，所以當你面臨這些外在壓力時，也請堅守你的信念，妥協的確能很快解決問題，但它卻可能是日後問題的來源！**

美國行為治療師詹姆斯‧勒曼（James Lehman, MSW）曾說過：「父母一定要時常問自己，現在該做什麼決定才是對孩子最好。」答案可能是設定底線，可能是讓孩子嘗到後果，但無論如何都是為孩子的行為上了重要的一課。

說得輕鬆，你知道處理吼叫小孩有多困擾嗎？

當爸媽對孩子說「不」時，孩子可能會尖叫、哭鬧、咒罵、亂丟東西、破壞、攻擊、或無限輪迴「這不是肯德基」，也可能會一直纏著爸媽苦苦哀求，讓你覺得好煩好難過，乾脆答應孩子不就好了，但你有沒有想過，妥協不就代表讓孩子學到可以用這樣的情緒行為去勒索別人嗎？而且你的底線只要被突破一次，儘管你前面防守成功了 99 次，孩子還是會學到你的底線是可以被突破的！

這時候的天人交戰該如何度過呢？你可以這樣正向思考：

· **孩子現在生氣是沒關係的，他未來會面臨更多的挫折與被他人拒絕，我這樣做是為了讓孩子成熟、學習負責。**

· **反正孩子很常對我生氣，我不需要這麼在意。生氣剛好可以讓他學習如何控制自己的情緒，冷靜下來就能好好溝通了。**

要記住，如果你常陷入負向思考，例如，我怎麼這麼慘，我家小孩怎麼這麼多情緒，我是個很失敗的媽媽吧……。那麼你就會成為很容易被突破底線的父母，類似的情境，更容易無限輪迴。仔細想想，對孩子而言，有「絕望」感時，怎麼可能會沒有情緒？怎麼可能會完全不爭取就欣然接受呢？這樣就不是孩子了吧！教養，最重要的是要引導孩子「沒辦法時就要想辦法」，在孩子突破底線前，他是否已用盡各種辦法了呢？

破解孩子的操弄

有些孩子很厲害，當你說不時，他不會立刻翻臉，而是出現下列這幾招：

孩子類型	孩子這樣說	說話的心理	破解法
甜言蜜語型	可是我真的好想要貼紙，不能買，我會很傷心，你今天買給我，我下次會表現得更好……	▶ 讓你捨不得拒絕	別跟著孩子起舞，你的陪伴一定比貼紙強
一針見血型	我就知道媽媽你不愛我，只是貼紙而以你都不買，人家強強的媽媽都常常買給他……	▶ 讓你覺得羞愧	我會陪你做更多有趣的事，強強媽媽不一定做得到……。想辦法把話題扯遠、離開現場最重要
條件交換型	媽媽你如果買給我，我等一下吃飯會很快吃完，趕快把作業做完……	▶ 讓你覺得答應的有價值	看起來很合理，但其實是過度交涉。如果鬆口，無疑在教孩子，你的底線並不堅固，當你說「不」的時候不代表真的是「不」。更何況孩子所提出的條件本來就是該做的事情，拿來交涉並不合理

現在你知道該怎麼當個有底線的爸媽了嗎？跟著下面的教養心智圖，step by step，讓教養不再卡卡卡。

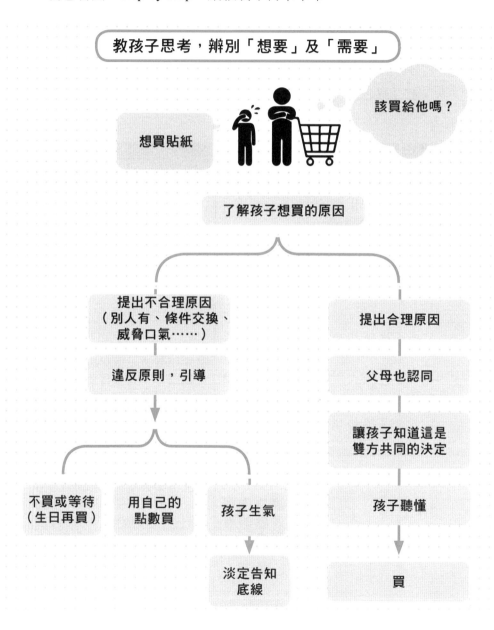

教孩子思考，辨別「想要」及「需要」

想買貼紙

該買給他嗎？

了解孩子想買的原因

提出不合理原因
（別人有、條件交換、
威脅口氣……）

提出合理原因

違反原則，引導

父母也認同

讓孩子知道這是
雙方共同的決定

不買或等待
（生日再買）

用自己的
點數買

孩子生氣

孩子聽懂

淡定告知
底線

買

充滿負能量，
媽媽需要認同與支持

在教養的路上，很多時候是媽媽付出得比較多，周遭的親友若能站在同一陣線上，給媽媽更多的體諒與幫助，就能減少許多負能量，讓孩子更愉快、身心健康的長大。

媽媽也可以
有 me time 有遠方

現實生活中，確實有很多媽媽為了孩子放棄自己的職場當全職媽媽。心中不時抱著被迫改變、放棄的遺憾，等到孩子長大後，開始埋怨：「都是你們害的！」我始終不認為所謂的好媽媽，都必須在家當全職媽，有些人的確適合在職場上發揮，也有些人能同時把孩子、家庭和自己都照顧得很好，只要找到適合自己與家人的生活就好。

沮喪感 1：孩子怎麼會這樣，都是我害的嗎？

曾有媽媽問我：「自己跟哥哥的小孩都是給媽媽帶的，但自己的孩子動手打人，結果被照顧的家人唸，認為爸媽沒在教、沒有兇小孩、罵小孩，所以孩子才會不乖、不聽話。」這讓媽媽很內疚，認為是不是自己做錯了什麼？

這種問題最常出現在長輩與自己觀念不一致上，在遇到類似問題時，一定要把大人的問題跟小孩的問題分開。例如，如果婆媳間本來就有不信任的問題，教養孩子（孫子）的意見自然會相左，以至於出現這樣的對話：「都是妳沒教，妳這個媽媽怎麼這麼不會教小孩呀！」「妳看看，都是妳沒教，他才會打人！」等負面意見排山倒海而來，令媽媽既難過又心生疲憊。

這時，媽媽也不用太自責，不用想著孩子的外顯行為，是因為自己沒教好導致。若衝突的起因來自於婆媳問題，要適時把問題丟出來讓孩子的爸爸知道，不用全數一人承受。

至於小孩吵架時，也是有辦法可以解決的。如果當下不知道誰對誰錯，可暫時將他們 2 個分開，禁止他們說話、或玩在一起。孩子們的互動總是分久必合，當他開始想跟另一個孩子玩時，就提醒他們前面吵架的過程，做為後面好好相處的警告。

沮喪感 2：我付出了好多時間在孩子身上，他還是不聽話……

「老師，我最近遇到一個難題，讓我覺得好挫折，我的小孩都不聽我的，叫他做什麼事情，都只會回我：為什麼？我不要！最近，甚至還回我：吼，你了不起唷！我幹嘛都要聽妳的。這讓我覺得自己是個失敗的媽媽。我都花了那麼多時間在他身上，為了他也離職了，整個重心都在家庭與小孩身上，幾乎沒有自己的生活……。請問我到底該如何教小孩，才能讓他心甘情願的聽話呢？

從孩子出生後，從來都沒有一套標準程序告訴父母，要如何教養孩子，即使有也都不屬於自己，因為每個孩子、每個家庭都會遇到不同的事情，根本不能一概而論。

如果連媽媽本身都覺得自己的方式是錯的，一定會更不開心！建議媽媽要轉念，因為「要照顧好一個家庭，真的非常不容易，要給自己獎勵與好分數，從中找到成就感，才是最重要的。」

　　有時候，對婚姻的期望愈高，就會跌得愈深，但是，即使家庭會傷人，愛應該仍要存在。曾有一項研究發現，結婚 3 ～ 5 年階段，是離婚率最高的時期，以往我們都認為，離婚是因為對方覺得我們不好，但從研究中來看，多數是因為覺得自己不好而離開，怕自己無法符合別人的期待。

　　假使妳設想婚姻一定是美滿的，有個愛妳的先生、子女聽話、受公婆疼愛，一旦並非如此時，就會讓自己跌入萬丈深淵，因為真實狀況是：**全心全意投入，不一定有同等的回饋。**

好媽媽，
千萬不要當好老師

　　教養辛苦的地方，就是沒有人教爸媽，如何當爸媽！生了小孩後，在沒有使用說明書的情況下，父母都得自己去摸索，找到適當的方法來跟孩子、另一半，甚至是長輩溝通，這一路的跌跌撞撞，常常感到挫折不已。

　　很多媽媽都會抱怨：「帶孩子就是煩呀！要煩這個、煩那個，一邊要擔心工作、一邊又怕孩子吃不好、生病，競爭力比其他小孩弱……。」但是，當妳總是檢討自己是不是一個失職的媽媽、做不好的媽媽時，妳常常把自己升級成老師的角色，好媽媽千萬不要同時扮演好老師的角色！因為，當妳化身為老師時，特別容易傷害到親子的和諧。

　　我常說，父母只能在有限的時間內，盡量地陪伴孩子，若有教養衝突與爭執時，也要以「彼此是為了孩子好」的想法溝通，如此一來，溝通就會變得小聲、動作就不會那麼激烈，夫妻也不再怒目相對。久而久之，彼此關係就能因此改善。

　　在家裡，這樣的畫面很常出現吧？媽媽帶了一天的孩子，身心俱疲，情緒也一直高漲，這時爸爸回來了，卻只看到媽媽火山爆發的那一刻，於是說：「妳幹嘛對孩子那麼兇？不能好好的講話嗎？為什麼要讓孩子哭成那樣？妳到底怎麼教的？……」諸如此類的指責語氣，往往更讓媽媽情緒失控，覺得爸爸都不懂，完全無法溝通。

面對這種事情時，我建議媽媽仍要冷靜下來另外找時間與枕邊人溝通，說清楚自己是受了什麼挫折，帶孩子的難為之處在哪裡？甚至有時要讓另一半試著帶孩子 1、2 天，體會一下媽媽的心情。試著放手與信任爸爸帶孩子，這並不是要陷害他，而是要讓另一半體會一下，畢竟孩子是夫妻兩個人的！

[媽媽們，別陷入自己「不夠好」的迷思]

媽媽太累了，時常要一心多用

下次，當妳的血壓再次飆高時，請先仔細思考一下：「妳有沒有放過自己？」舉例來說，帶小孩明明很累，卻又想一心多用。於是，想當好媽媽、又想當好太太、好媳婦、甚至是好員工、好主管，自己卻完全沒有喘息的時間。這樣的妳，是絕對找不到好方法來教養孩子的。

就像坊間出的教養書，理論上是希望讓媽媽們能拿來當做參考工具書，讓教養之路更輕鬆，但結果往往是，已經很累的狀況下，又想做到百分百的媽媽、想好好教養孩子，最後，卻被負能量打敗，讓自己更挫折。我認為，所有的教養專家，應該都希望父母是在正面能量充滿的狀態下閱讀教養書，才能達到真正的效果。

在此前提下，提醒媽媽們，一定要找個空檔時間讓自己放鬆一下，別讓自己太累、也別再一心多用了。

媽媽習慣只看到別人最好的一面

資訊發達時代，無論是從臉書或社群網站上，經常會接受到教養文章，但妳有沒有發現，似乎所有的教養文章，多半都只說出好的一面，好像別人的孩子都特別乖、別的媽媽都特別會帶養小孩、也超會煮料理，到最後出現：「別人都是 100 分，只有自己最糟糕！」的情緒。

我想說的是，教養不需要比較，不用比孩子身高、不用比誰吃得好、也不用比誰較優秀、成績比較好之類，因為，誰也不知道，在螢幕的背後，別人家的孩子也許也曾經同樣不受教、不乖、不聽話，只是 po 文的人沒 po 出罷了。

記得，千萬不要只看到別人好的一面，因為妳容易忽視自己做得很好的那一面。

帶孩子容易沒有成就感

不用懷疑，在家帶孩子的確是件不容易有成就感的工作。也因為感受不到成就感，所以不是一件能輕易達到 100 分的事情，因此，要求不用那麼高。

如果妳覺得帶孩子真的沒辦法讓自己更輕鬆，甚至覺得可能上班對小孩更好時，那就這樣做吧！不必因為自己沒有全職帶孩子而感到愧疚，只要能幫自己與家人找到一個最和諧的關係，那麼，送孩子去保母家、去幼兒園又有什麼關係呢？

不知不覺凡事以孩子為中心

許多媽媽會饒不了自己，凡事總以孩子為中心，買孩子喜歡吃的、自己吃他剩下的；總是最後一個洗澡、上床；完全沒

有自己的時間做喜歡的事情，這其實不太好。

現代教養講求以家庭為中心，也就是說，如果孩子到了可以商量的年紀，應該要用討論的方式來做決定，包括晚餐吃什麼？要去哪裡玩？妳應該發表自己的想法與意見，而不是凡事都由孩子做主，否則，等到哪天給不了滿分時，一定會很挫折。

畢竟，家庭中的每一個份子都很重要，也都需要彼此溝通、諒解，這樣才能刺激孩子懂得為他人著想，養出體諒與體貼的暖男或暖女。

旁人的雜音太多，自己不夠堅定

在我們身處的環境中，周圍一定有很多不同的聲音，讓自己的教養之路變得不堅定，無論是另一半、親友或公婆，甚至是不認識的路人甲乙丙，都不應該讓這些人成為妳產生壓力的來源。

我常說，不是真正教養孩子的人，最好能放下你的聲音，不要管別人如何教育小孩。若真想關心，也應該先理解教養過程中，孩子跟媽媽的衝突來源，以及背後的故事。千萬不要一句「別讓孩子哭啦！」「你為什麼會這樣教呢？」「一定要這麼兇嗎？」讓媽媽產生莫大的心理壓力，這可是會讓沒有憂鬱症的人轉變成憂鬱症。

媽媽本身，請記得千萬要放過自己，盡量讓自己有喘息的機會，才能用正向的能量教導並感染孩子，真正教出自己想要的孩子。

讓爸爸參與育兒，
刺激孩子各階段身心發展

教養孩子這條路相當不容易，如果只是把責任全部落在媽媽身上，真的過於辛苦，只有爸爸同時給與助力，家庭教養工作才能分工做到最好。夫妻兩人發揮所長，教養孩子自然輕鬆許多。

我們這一代的爸爸，已經不像上一代的父親形象，擔任了絕大多數的經濟重擔。我非常樂見現在有愈來愈多的爸爸願意積極參與教養，與孩子產生互動，一起成長，這相當令人慶幸，但好還要更好，因為爸爸參與育兒確實有著極大的好處。

[爸爸們，別讓自己
在孩子的心裡缺席]

鏡頭下的我，每天工作都很忙，但接送孩子、教育孩子、帶著孩子去玩很多好玩的課程及活動，甚至是每天晚上的親子共讀時間，我從不缺席。原因是，我不想在孩子的心理及成長過程中缺席，雖然工作與親情兼顧並不輕鬆，但這樣的陪伴，更有助於了解自己的孩子。

從前的教養觀念，好像都覺得孩子的安全感和媽媽的陪伴有關；其實爸爸也是孩子依附關係及人格發展的重要人物。孩子可能 1 歲前不理爸爸，但到 1 歲之後，隨著心智發展，當他想要

開始大量探索時，爸爸們若能善用會探索及會陪玩的專長，分散一些孩子對媽媽注意力的重心，就能減輕媽媽的負擔。例如，幫孩子洗澡順便玩水、陪著孩子閱讀、跟孩子一起玩球和塗鴉、或者帶他們去簡單的採買，甚至假日帶全家出門等，都可建立孩子長大之後「跟你很親」「會聽你話」的親密親子關係。

爸爸在孩子各個成長階段 扮演的角色

爸爸對胎兒的重要

過去曾有研究指出，從寶寶還在媽媽肚子裡，另一半就開始努力學習當爸爸（陪伴太太）的家庭，孩子早產或嬰兒猝死的比例會較低。也有研究發現，新生兒出生 2 小時內和爸爸有肌膚親密接觸照護（skin-to-skin care）者，寶寶會比較容易入睡，也比較不愛哭。

的確，寶寶出生的第一年，爸爸參與育兒會比較容易受挫，因為男性角色是先天的玩伴，而他們玩的方式對這個階段的寶寶來說，總是太過刺激、太過有活力、太過令人警醒；所以寶寶會偏好找比較有安全感、能令人平靜的媽媽。建議從這個階段開始，媽媽就要努力做球給爸爸，在孩子吃飽、睡飽、心情好時，讓寶寶多和爸爸互動，或者讓爸爸幫孩子洗澡（通常泡澡時，孩子都會比較平靜），因為孩子的一舉一動同樣會改變爸爸大腦的活動。

2015 年以色列腦科學家曾發表，當媽媽看著自己寶寶的一舉一動時，大腦中的杏仁核會活化較多，換言之，會很容易

感同身受，會比較容易情緒化；相反地，若是爸爸看自己寶寶的一舉一動，大腦活化較多的是顳上溝（superior temporal sulcus），這是大腦心智網絡中重要的區域，也就是說，爸爸會更善於分析情境、釐清事情的來龍去脈、變得更有責任感。所以，陪孩子玩，就更能掌握孩子的反應並做出調整，這對帶孩子這件事來說，會比較容易有成就感。

爸爸對童年早期經驗的影響

北卡羅萊納大學曾經做過一項針對爸爸、媽媽對 2 歲孩子說話的研究，研究重點是孩子 3 歲時，誰對他的表達能力較具有影響力？結果發現，相較於媽媽，爸爸對孩子的語言發展促進更有顯著影響。學者認為，這是因為媽媽長時間陪伴孩子，非常熟悉孩子，所以會用符合孩子的語言能力互動，而爸爸的說話方式，會讓孩子接觸到不同的詞彙與表達方式。所以，爸爸下班回家後，不一定要陪孩子玩得多瘋，但記得一定要說說睡前故事，這對孩子日後的發展會很有幫助。

此外，由於爸爸偏好玩得較瘋狂的遊戲，這樣的遊戲在與學齡前孩子互動時，能減少他們的內外化問題行為（內化行為包括：憂鬱、社交焦慮、社交孤寂；外化行為包括：將情緒壓力用外顯行為方式呈現，多具攻擊性、衝動性）產生，能增加社會競爭力。建議爸爸們，假日時可以多帶孩子一起到戶外追逐跑跳，一方面能維持自己的健康，二方面也讓孩子的心理發展更好。

爸爸對青少年時期的影響

研究表示，爸爸參與育兒教養，對於男性青少年可以增進認知發展、減少不當的行為問題；對於女性青少年，可以減少

心理問題，促進認知發展、社會反應能力、獨立以及減少早期性經驗或懷孕。所以說，爸爸對於孩子健全的兩性觀念發展也扮演著重要角色。

爸爸對特殊狀況孩子的影響力

也有不少針對家有特殊或重大疾病兒童的研究，發現爸爸參與育兒，相較於爸爸較不參與者，對於孩童的療育效果、兒童健康發展等效果較佳；還有一項針對新生兒加護病房的早產兒研究也發現，爸爸若有參與早產兒的育兒，孩子在 3 歲時的認知發展會較佳。

> # 父親多參與育兒，
> # 對孩子身心發展影響大

父親育兒好處 1：可以增加女兒對異性的判斷力

多數的爸爸，在女兒心中是偶像，對女兒能產生很大的影響力。尤其父女間的關係經常是女兒日後挑選另一半的標準；而兩人之間的互動，也能讓女生學習如何跟異性相處，甚至是維持和異性關係的關鍵。也許有些爸爸會發現，為什麼女兒小時候總是黏著他，長大後卻似乎跟自己保持了距離。但我認為，這是件好事，表示著女兒已經知道兩性之間應該要有的分寸，這對女兒青春期後，與異性互動上的拿捏有很大的幫助。

父親育兒好處 2：提供兒子衝動控制的模範

有些男生個性衝動，性子急又沒耐性，這時爸爸就能當個

好示範。只要爸爸適度展現自己雖好動卻能控制情緒的表現，兒子就會把他當做模仿對象，學習控制自己的情緒。大家都知道，教養路上，爸爸與媽媽的形象有很大的不同，就好比，媽媽的教養方式很容易淪為碎碎念，雖然這無所謂好壞或對錯，但是，若在孩子的成長過程中，加入爸爸簡潔有力的說話方式，是可以改善兒子自我控制能力的。

我自己小時候，父母對我的教養方式也是如此，媽媽總是有很多的擔心，不斷地叨唸著許多事。爸爸因為工作忙碌，說話總是挑重點也會陪我玩，但只要惹他一生氣，就會令我非常害怕。

我常說，媽媽是天生的育兒高手，如果能善用爸爸的優點互補，用玩遊戲的方式教孩子，協助媽媽一起教養，應該就能天下無敵了。舉例來說，當孩子不吃飯時，爸爸出手的狀況通常會是：「趕快吃，吃完我帶你出去玩。」或是「吃快點，再不吃我就收起來」「別吃得到處都是，趕快撿起來收乾淨，不然我就收起來了。」這種方式可讓男生聽到重點，瞬間讓孩子回神，這也是訓練自制力的最好機會。

父親育兒好處3：激發孩子抽象認知學習力

孩子們從小開始就需要奠定許多能力，語言能力、認知力、邏輯力等似乎都能慢慢培養，唯獨想像力，有時必須靠模仿或平日的教養而來。爸爸天馬行空的說故事方式，有時會比呆板的從頭唸到尾，來得更有趣、更具備想像力。

而且，育兒過程中，大部分的媽媽與孩子玩遊戲時，會比較偏向守規矩，一步一步照著遊戲規則進行，但年幼的孩子在規規矩矩的活動內會變得沒耐性，很容易放棄。這時若是由爸爸來玩，就可以用比較隨興的方式，反倒能吸引孩子的注意力，

玩得更長久。因為爸爸偶爾犯個小錯、不對的玩法，會讓孩子了解：「哦，原來爸爸也會犯錯。」

父親育兒好處 4：增進孩子語言表達力

別懷疑，這是因為兩性間的語言表達技巧不一樣的關係。通常女性習慣用比較發散的語言說明事情；男性則會挑重點說，也習慣先組織後再條列說明，來表達自己的意見。孩子年齡愈小，愈適合條列說明，這樣能讓他更容易快速學習。因此，當孩子正在學習表達時，請爸爸給與條列式重點，這對他的語文表達能力很有正增強作用。

父親育兒好處 5：幫助孩子更快了解底線

當媽媽在教孩子規矩時，如果身旁能有一個人可以表達贊同，孩子就容易記取教訓，擔當這個角色最佳的人選就是爸爸。反之，若爸爸不給力，只是一味責怪媽媽，孩子會懂得用取巧的方式，鑽爸媽間的漏洞，甚至會愈來愈不守規矩、不願意聽話或合作，規矩更難建立。兩人教養一致，會讓孩子覺得無縫可鑽，不能予取予求，如此一來，教養才能輕鬆有趣，另一半也不會覺得疲憊又無人理解。

父親育兒好處 6：有助孩子人格發展

很久以前的研究曾經證實，爸爸無論是對男孩或女孩的人格發展，都有很重要的影響性，有父親參與育兒過程的孩子，將來人格發展會相對較為健全。

因為男性和女性的教養方式很不一樣，對孩子的犯錯事件看法不見得相同，當然，這也和男人與女人本身大腦就不同有關係；一般來說，媽媽會比較情緒化，所以當孩子犯錯時，

直覺認為應該要被處罰，但爸爸可能會從其他的觀點來解釋、提供不同的想法。其實，家庭裡多一種聲音、讓教養不只是女王或國王的發號施令，也能間接啟發孩子的創意，以及多元的思考能力，加速孩子的發展。

父親育兒好處 7：給孩子跌倒機會、培養問題解決能力

常聽到媽媽抱怨自己的先生，帶小孩時總是粗心大意，一下這個受傷，一下這個沒帶，好像很不放心似的。確實也是，同樣是帶孩子出門，比比看媽媽的包包和爸爸的包包裡面裝什麼就知道；以 2 歲為例，爸爸可能只帶個水壺、尿布、錢包就出門了，但媽媽可能會加帶備用衣、隨身藥物、消毒、溼紙巾……等一大堆，媽媽好像總是想把孩子照顧得非常周到、安全，但是太安全反而會讓孩子沒機會去探索、冒險、甚至受點小傷。

反觀爸爸，會比較傾向鼓勵孩子冒險、凡事不用預想太多、遇到問題時再想辦法解決。因此，如果成長過程裡，若少了爸爸這個學習模仿的對象，孩子就會少了很多刺激來源！尤其從幼兒園開始，孩子接觸女老師的比例高，男孩如果在環境裡找不到學習模仿的對象，父職角色又不積極參與教養時，他就很難透過崇拜、模仿、進而學習到如何扮演男性的角色，缺少力量、勇敢、跌倒了再爬起來等陽剛特質。

附錄 孩子專心：父母該懂的 ７ 大專注心法

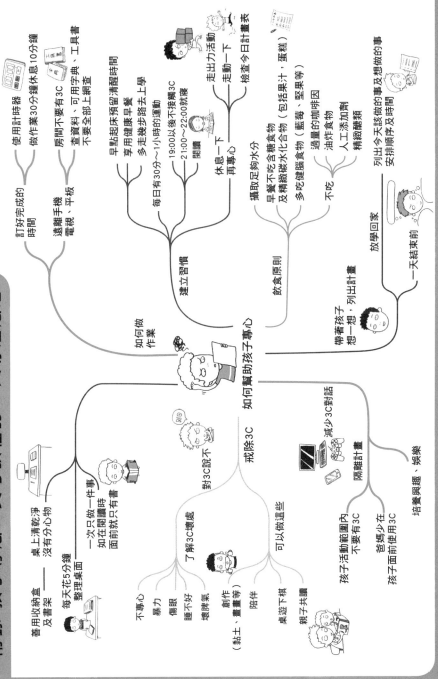

如何幫助孩子專心

如何做作業

建立習慣
- 早點起床預留清醒時間
- 享用健康早餐
- 多走幾步路去上學
- 每日有30分～1小時的運動
- 19:00以後不接觸3C
- 21:00～22:00就寢 閱讀
- 休息一下 再專心
  - 走出力活動
  - 走動一下
  - 檢查今日計畫表

訂好完成的時間
- 使用計時器
- 做作業30分鐘休息10分鐘

遠離手機、平板、電視
- 房間不要有3C
- 查資料、可用字典、工具書
- 不要全部上網查

飲食原則
- 攝取足夠水分
- 早餐不吃含糖物 及精緻碳水化合物
- 多吃健腦食物（藍莓、堅果等）
- 不吃
  - 過量的咖啡因
  - 油炸食物
  - 人工添加劑
  - 精緻糖類

帶著孩子 想一想，列出計畫

放學回家

一天結束前
- 列出今天該做的事及想做的事
- 安排順序及時間

善用收納盒 及書架
- 桌上清乾淨 沒有分心物
- 每天花5分鐘 整理桌面
- 一次只做一件事 如在閱讀時面前就只看書

不專心
暴力
傷眼
睡眠不好
壞脾氣

戒除3C

對3C說不

了解3C壞處

可以做這些
- 創作（黏土、畫畫等）
- 陪伴
- 桌遊下棋
- 親子共讀
- 孩子共讀

減少3C對話

隔離計畫
- 孩子活動範圍內 不要有3C
- 爸媽少在 孩子面前使用3C

培養興趣、娛樂

家庭與生活 050

全圖解教養的真相
孩子講不聽、叫不動，大人該懂得破冰對話

作　　者｜王宏哲
共同作者｜劉鶴珣
繪　　者｜水腦、郭晉昂
責任編輯｜游筱玲
文字、編輯協力｜鍾碧芳、盧宜穗、郭巧君、袁若喬、吳家蓉、蔡沁婷
校　　對｜魏秋綢
版型設計、編排｜FE 工作室（葉馥儀）
編排協力｜林于晴
封面設計｜三人制創
設計協力｜雷雅婷
封面攝影｜黃建賓
行銷企畫｜林靈姝

天下雜誌群創辦人｜殷允芃
董事長兼執行長｜何琦瑜
媒體暨產品事業群
總 經 理｜游玉雪
副總經理｜林彥傑
總　　監｜李佩芬
副 總 監｜陳珮雯
版權主任｜何晨瑋、黃微真

出 版 者｜親子天下股份有限公司
地　　址｜台北市 104 建國北路一段 96 號 4 樓
電　　話｜（02）2509-2800　傳真｜（02）2509-2462
網　　址｜www.parenting.com.tw
讀者服務專線｜（02）2662-0332　週一～週五：09:00~17:30
讀者服務傳真｜（02）2662-6048
客服信箱｜parenting@cw.com.tw

法律顧問｜台英國際商務法律事務所・羅明通律師
製版印刷｜中原造像股份有限公司
總 經 銷｜大和圖書有限公司　電話：（02）8990-2588

出版日期｜2019 年 1 月第一版第一次印行
　　　　　2023 年 6 月第一版第十二次印行
定　　價｜380 元
書　　號｜BKEEF050P
I S B N｜978-957-503-243-2

訂購服務
親子天下 Shopping｜shopping.parenting.com.tw
海外・大量訂購｜parenting@cw.com.tw
書香花園｜台北市建國北路二段 6 巷 11 號　電話（02）2506-1635
劃撥帳號｜50331356 親子天下股份有限公司

國家圖書館出版品預行編目 (CIP) 資料

全圖解教養的真相：孩子講不聽、叫不動，大人
該懂的破冰對話 / 王宏哲作 . -- 第一版 . -- 臺北市
　　親子天下 , 2019.01
　　面；　公分 . -- (家庭與生活；50)
ISBN 978-957-503-243-2(平裝)
1. 親職教育 2. 子女教育

528.2　　　　　　　　　　　　　　10702183.

立即購買 >